사고력을 키우는 팩토 연산

매스티안

구성과 특징

1주 연산 원리 학습

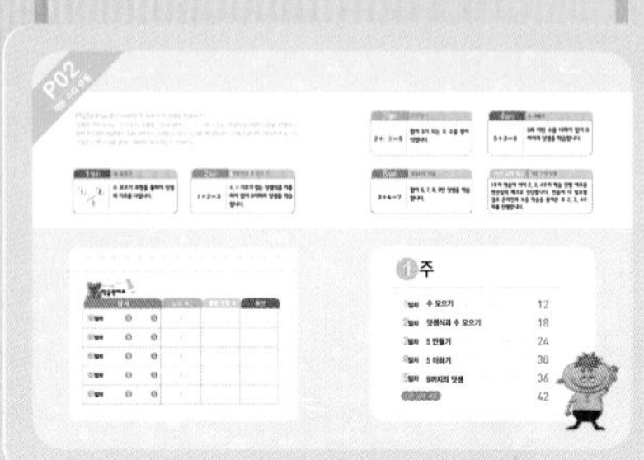

붙임 딱지 등의 활동으로
연산 원리를 재미있게 체득

2주 연산 응용 학습

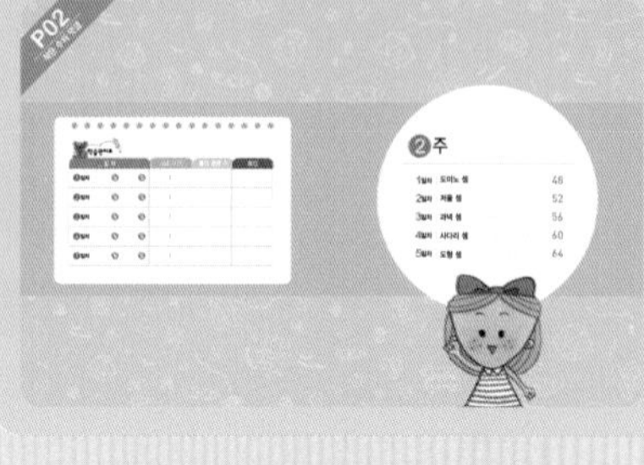

연산 원리를 응용한 문제를
풀어 보며 문제해결력 신장

정답

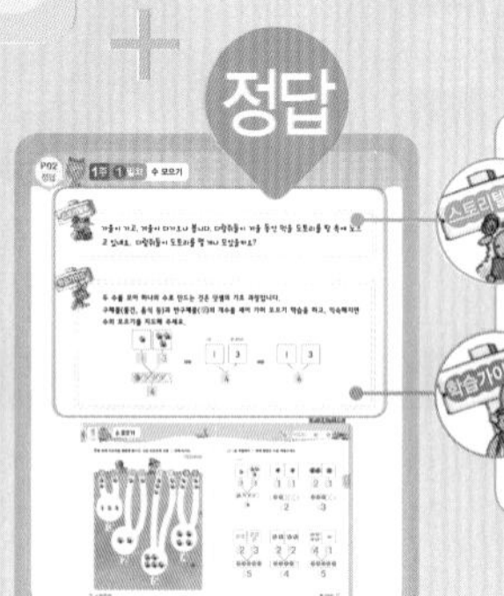

아이와 자연스럽게 학습을 시작할 수 있도록 스토리텔링 방식 도입

아이들이 배우는 연산 원리에 대한 학습가이드 제시

연산 실력 체크 진단 + 보충 온라인 보충 학습

2~4주차 사고력 연산을
학습하기 전에 연산 실력 체크

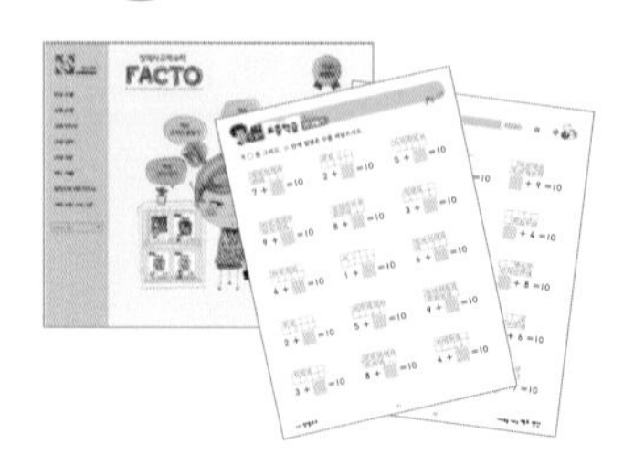

매스티안 홈페이지에서 제공하는
보충 학습으로 연산 원리 다지기

온라인 활동지

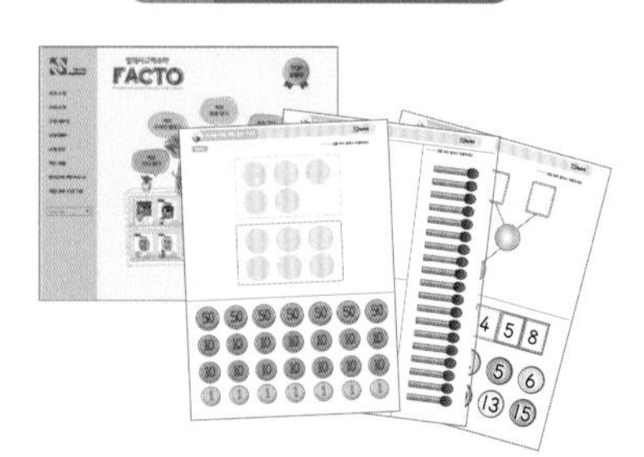

매스티안 홈페이지에서 제공하는
활동지로 사고력 연산 이해도 향상

4주 사고력 학습 2

연산 원리를 바탕으로 한 사고력 연산
문제를 풀어 보며 수학적 사고력과 창의력 향상

3주 사고력 학습 1

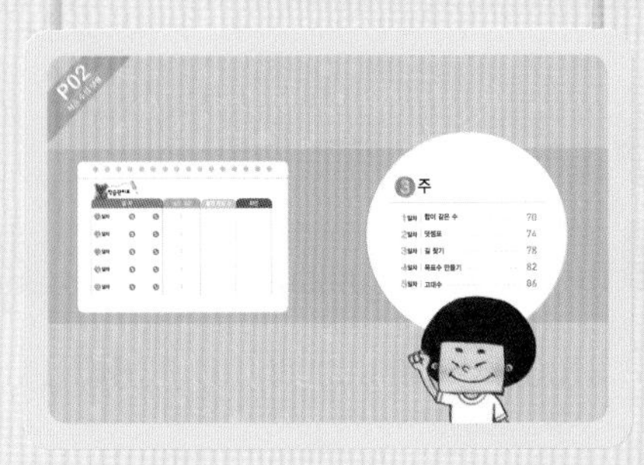

연산 원리를 바탕으로 한 사고력 연산
문제를 풀어 보며 수학적 사고력과 창의력 향상

• 3, 4주차 1일 학습 흐름 •

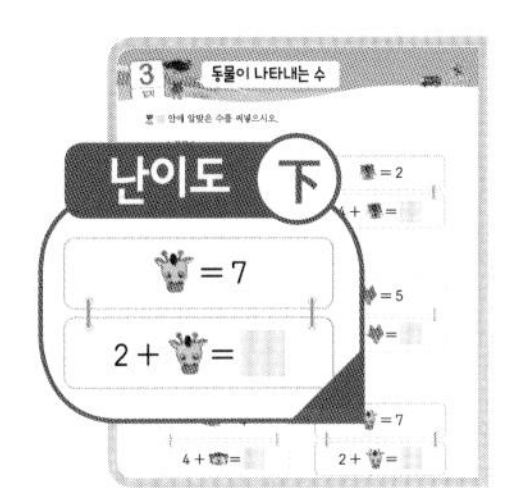

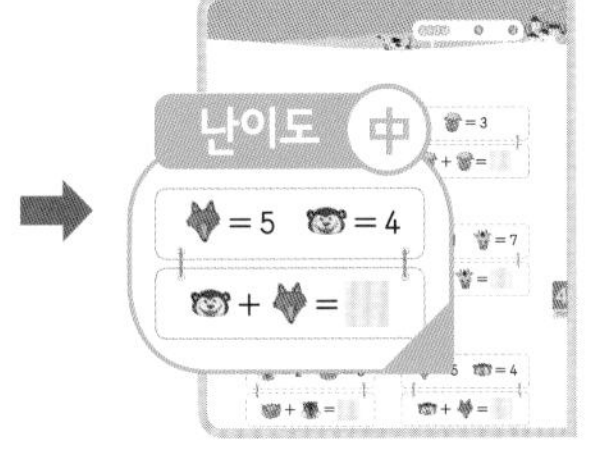

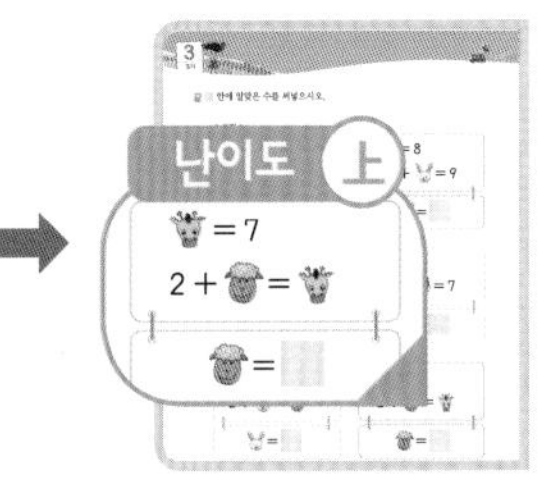

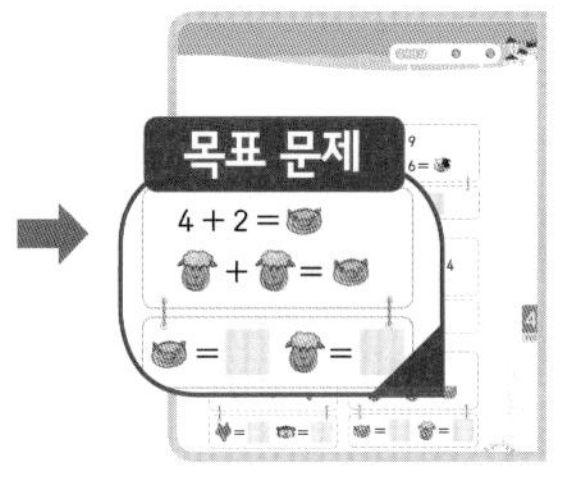

특정 주제를 쉬운 문제부터 목표 문제까지 차근차근
학습할 수 있도록 설계 되어 있어 자기주도학습 가능

App Game 팩토 연산 SPEED UP

앱스토어에서 무료로 다운받은
팩토 연산 SPEED UP으로 덧셈, 뺄셈,
곱셈, 나눗셈의 연산 속도와 정확성 향상

부록 칭찬 붙임 딱지, 상장

학습 동기 부여를 위한
칭찬 붙임 딱지와 연산왕 상장

사고력을 키우는 팩토 연산 시리즈

P | 권장 학년 : 7세, 초1 |

권별	학습 주제	교과 연계
P01	10까지의 수	①학년 1학기
P02	작은 수의 덧셈	①학년 1학기
P03	작은 수의 뺄셈	①학년 1학기
P04	작은 수의 덧셈과 뺄셈	①학년 1학기
P05	50까지의 수	①학년 1학기

| 권장 학년 : 초1, 초2 |

권별	학습 주제	교과 연계
A01	100까지의 수	①학년 2학기
A02	덧셈구구	①학년 2학기
A03	뺄셈구구	①학년 2학기
A04	(두 자리 수)+(한 자리 수)	②학년 1학기
A05	(두 자리 수)−(한 자리 수)	②학년 1학기

| 권장 학년 : 초2, 초3 |

권별	학습 주제	교과 연계
B01	세 자리 수	②학년 1학기
B02	(두 자리 수)+(두 자리 수)	②학년 1학기
B03	(두 자리 수)−(두 자리 수)	②학년 1학기
B04	곱셈구구	②학년 2학기
B05	큰 수의 덧셈과 뺄셈	③학년 1학기

| 권장 학년 : 초3, 초4 |

권별	학습 주제	교과 연계
C01	나눗셈구구	③학년 1학기
C02	두 자리 수의 곱셈	③학년 2학기
C03	혼합 계산	④학년 1학기
C04	큰 수의 곱셈과 나눗셈	④학년 1학기
C05	분수·소수의 덧셈과 뺄셈	④학년 1학기

C01 나눗셈구구 목차

C01
나눗셈구구

C01권에서는 B04권에서 배운 곱셈구구를 바탕으로 나머지가 없는 나눗셈을 학습합니다.
나눗셈을 처음으로 배우는 단계이므로 나눗셈의 2가지 의미가 담긴 등분제와 포함제 개념을 학습한 후, 곱셈과 나눗셈의 관계를 이용하여 2의 단부터 9의 단까지 순차적으로 나눗셈의 몫을 구하는 연습을 합니다. 특히 나눗셈은 곱셈의 역연산이므로 나눗셈 학습 전에 곱셈의 개념에 대한 충분한 이해와 이를 활용한 곱셈구구의 형식화 및 암기가 선행되어야 합니다.

1일차 나눗셈의 개념

$6 \div 2 = \boxed{3}$

나눗셈의 2가지 개념을 통하여 나눗셈의 기초를 다집니다.

2일차 2의 단, 5의 단

$14 \div 2 = \boxed{7}$
$15 \div 5 = \boxed{3}$

2의 단, 5의 단 곱셈구구를 이용하여 나눗셈의 몫을 구합니다.

학습관리표

일 자			소요 시간	틀린 문항 수	확인
① 일차	월	일	:		
② 일차	월	일	:		
③ 일차	월	일	:		
④ 일차	월	일	:		
⑤ 일차	월	일	:		

3일차 3의 단, 4의 단

$15 \div 3 = \boxed{5}$
$24 \div 4 = \boxed{6}$

3의 단, 4의 단 곱셈구구를 이용하여 나눗셈의 몫을 구합니다.

4일차 6의 단, 7의 단

$24 \div 6 = \boxed{4}$
$21 \div 7 = \boxed{3}$

6의 단, 7의 단 곱셈구구를 이용하여 나눗셈의 몫을 구합니다.

5일차 8의 단, 9의 단

$40 \div 8 = \boxed{5}$
$36 \div 9 = \boxed{4}$

8의 단, 9의 단 곱셈구구를 이용하여 나눗셈의 몫을 구합니다.

연산 실력 체크

1주차 학습에 이어 2, 3, 4주차 학습을 원활히 하기 위하여 연산 실력 체크를 합니다.
연습이 더 필요할 경우에는 매스티안 홈페이지의 보충 학습을 풀어 봅니다.

1 주

나눗셈의 개념

빵을 접시 위에 붙이며 나눗셈을 하시오.

준비물 ▶ 붙임 딱지

빵 6개를 3명에게 똑같이 나누어 주기

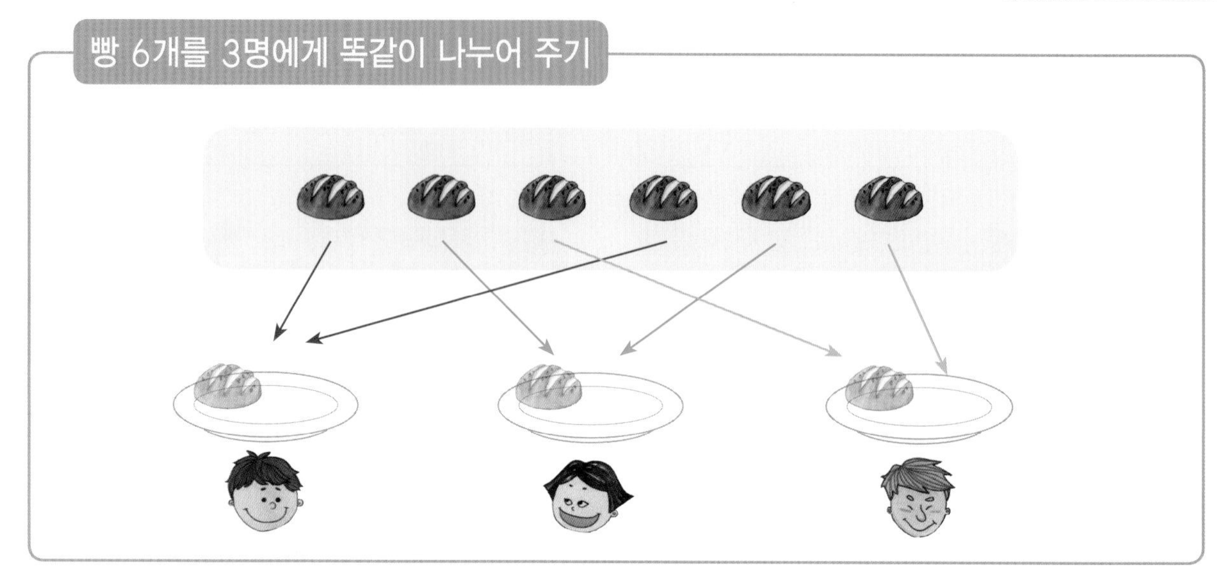

➡ 한 명이 받는 빵의 개수 : $6 \div 3 = \square$ (개)

빵 6개를 2명에게 똑같이 나누어 주기

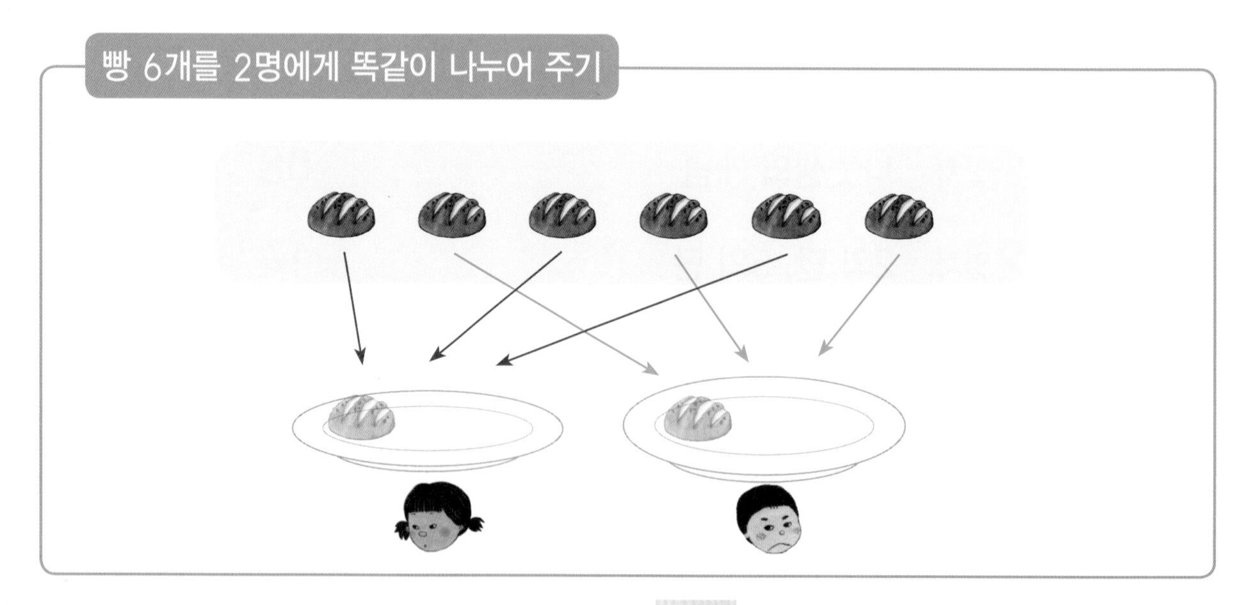

➡ 한 명이 받는 빵의 개수 : $6 \div 2 = \square$ (개)

1
C01

빵 6개를 한 접시에 3개씩 나누어 놓기

6 − 3 − 3 = 0

➡ 필요한 접시의 개수 : 6 ÷ 3 = ☐ (개)

빵 6개를 한 접시에 2개씩 나누어 놓기

6 − 2 − 2 − 2 = 0

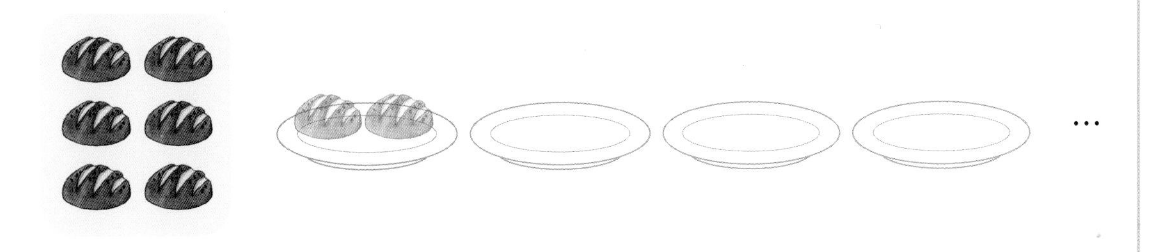

➡ 필요한 접시의 개수 : 6 ÷ 2 = ☐ (개)

각 접시에 구슬을 똑같이 나누어 ○표 하며 나눗셈을 하시오.

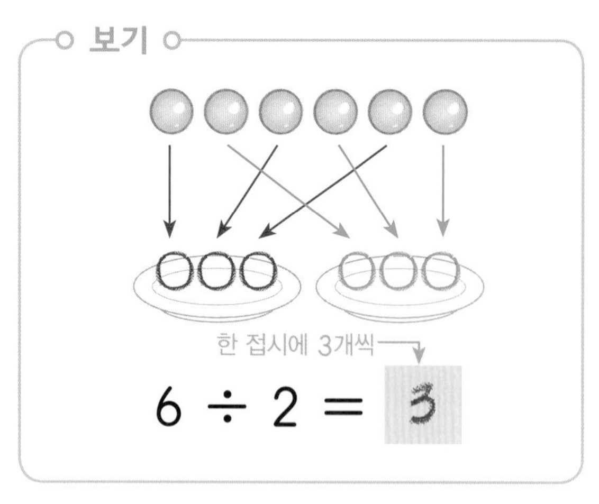

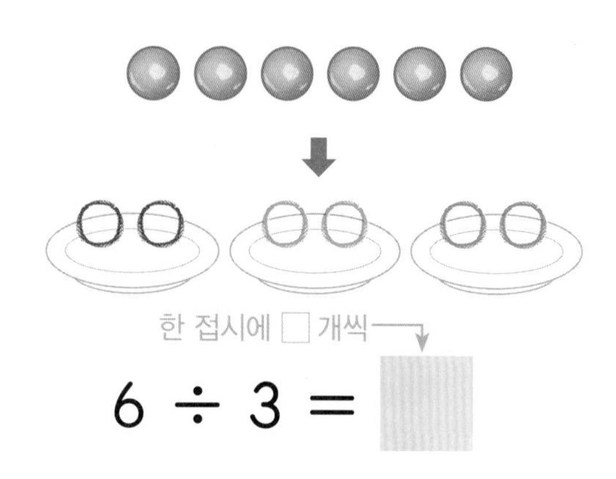

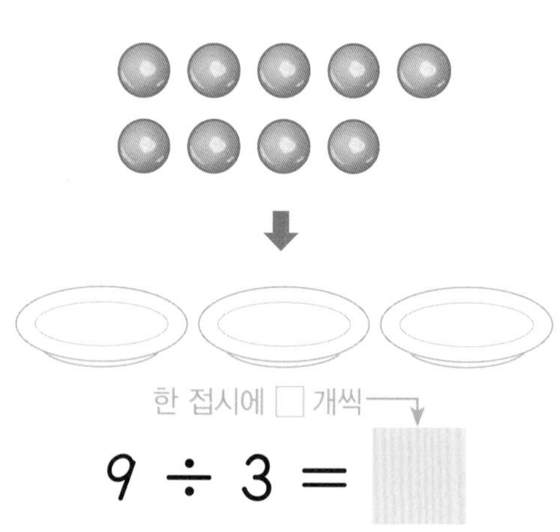

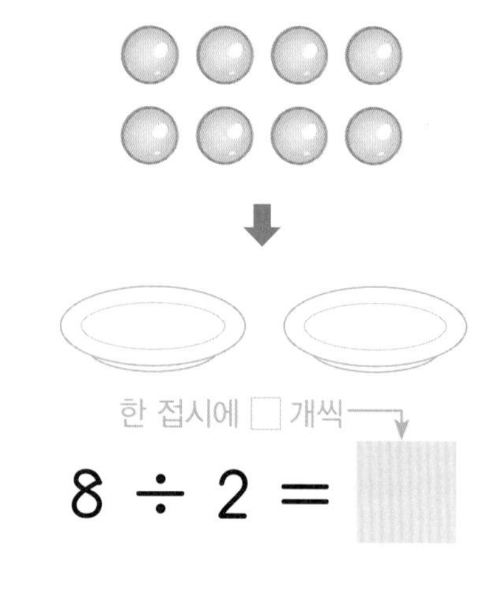

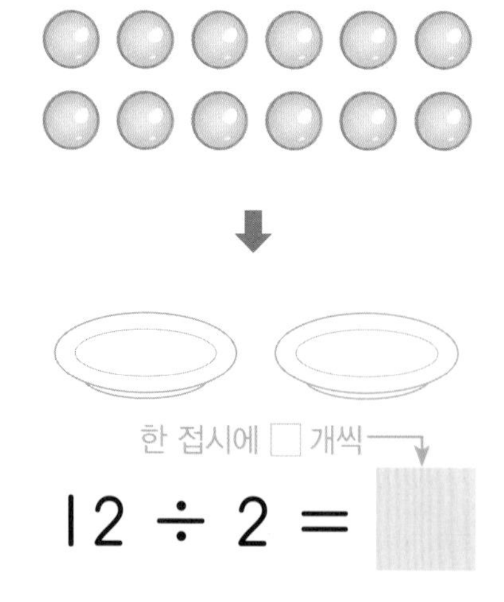

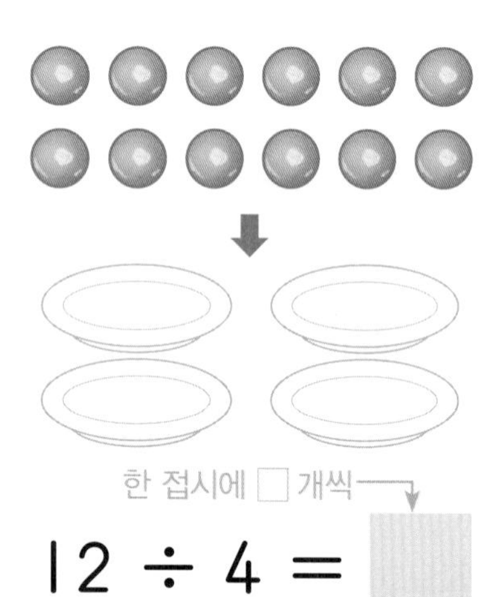

구슬을 똑같은 수만큼씩 묶으며 나눗셈을 하시오.

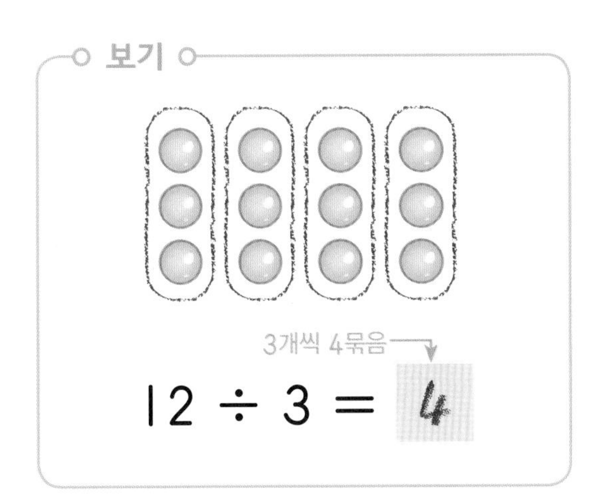

5개씩 □묶음

$15 \div 5 =$ □

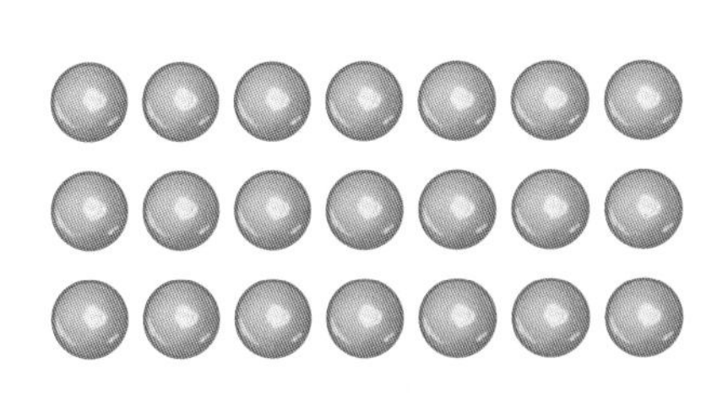

7개씩 □묶음

$21 \div 7 =$ □

4개씩 □묶음

$20 \div 4 =$ □

2개씩 □묶음

$14 \div 2 =$ □

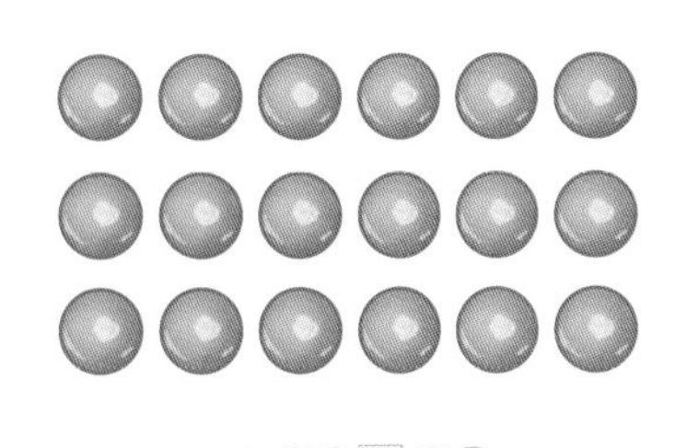

6개씩 □묶음

$18 \div 6 =$ □

나눗셈을 하시오.

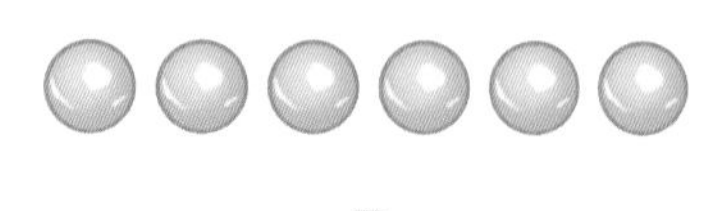

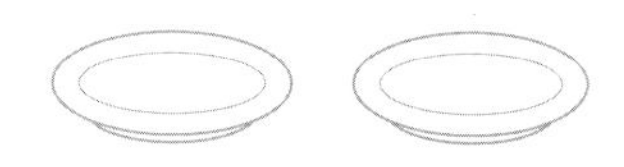

$6 \div 2 = \square$

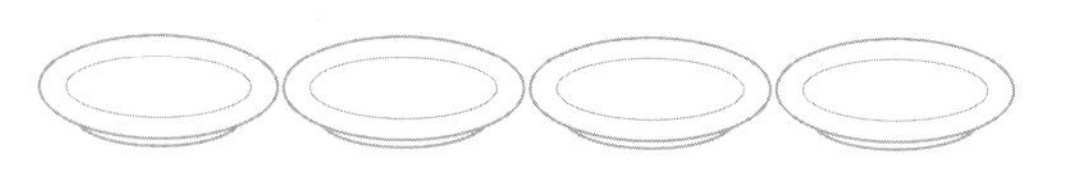

$8 \div 4 = \square$

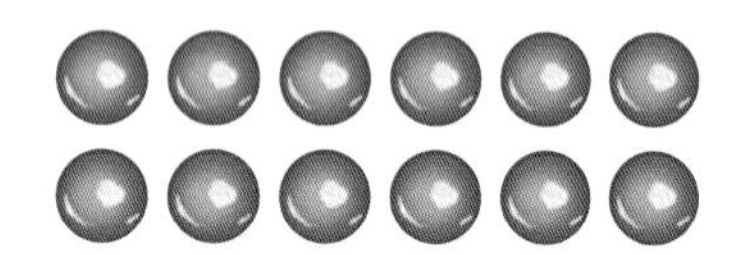

$12 \div 3 = \square$

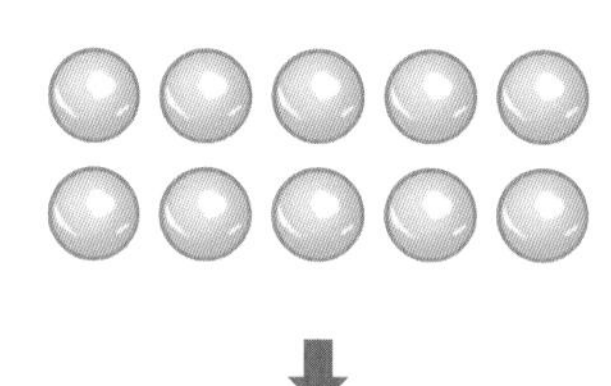

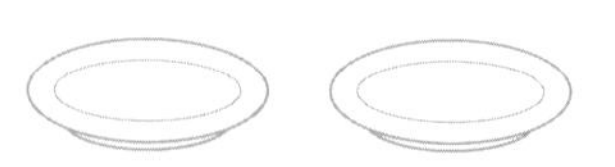

$10 \div 2 = \square$

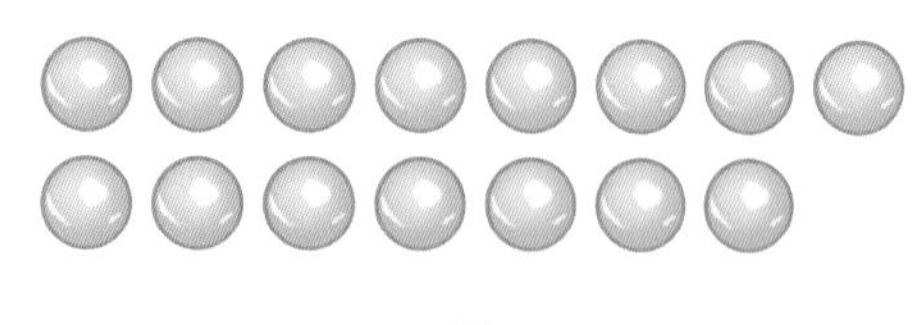

$15 \div 3 = \square$

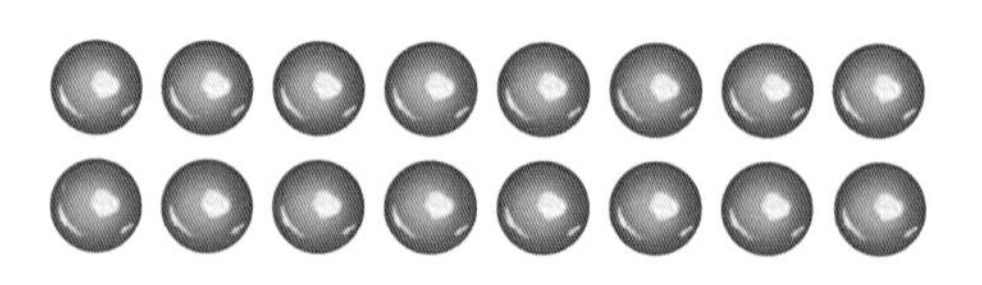

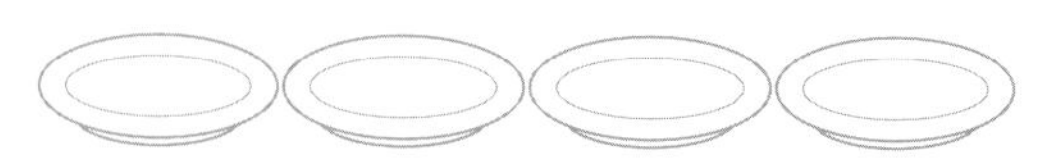

$16 \div 4 = \square$

나눗셈을 하시오.

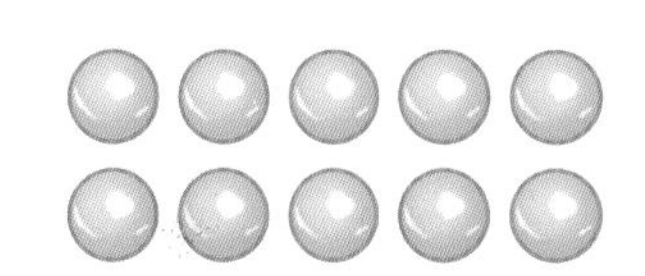

$10 \div 2 =$ ☐

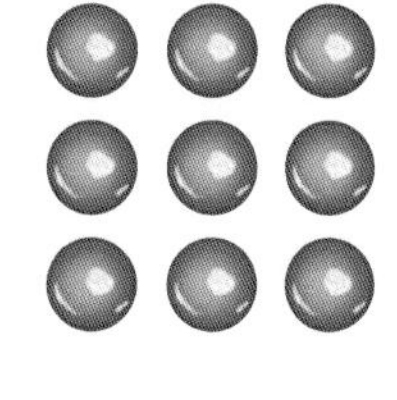

$9 \div 3 =$ ☐

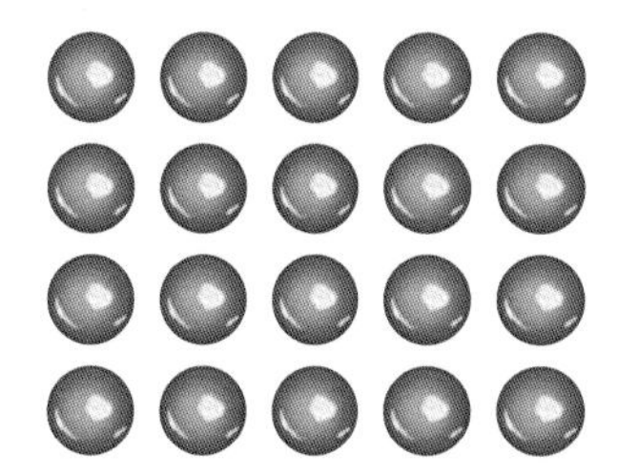

$20 \div 5 =$ ☐

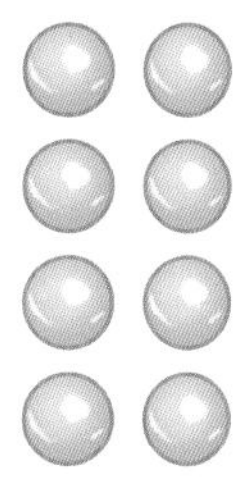

$8 \div 4 =$ ☐

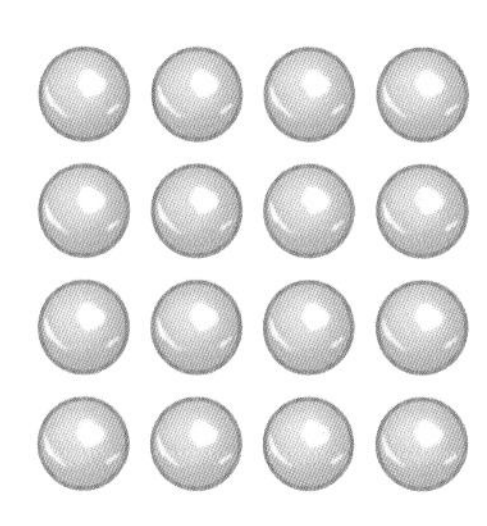

$16 \div 4 =$ ☐

$18 \div 6 =$ ☐

2의 단, 5의 단

도넛을 모든 상자에 똑같은 수만큼씩 나누어 붙이며 나눗셈을 하시오.

준비물 ▸ 붙임 딱지

도넛 8개를 상자 2개에 똑같이 나누어 담기

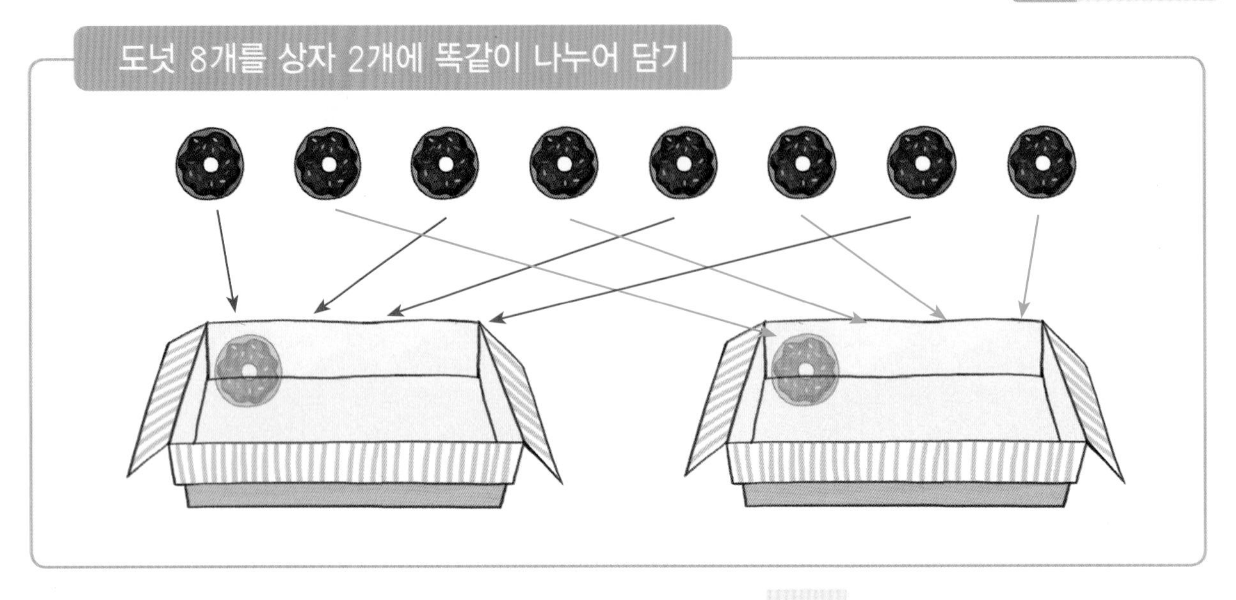

➡ 한 상자에 들어가는 도넛의 개수 : 8 ÷ 2 = (개)

도넛 10개를 상자 5개에 똑같이 나누어 담기

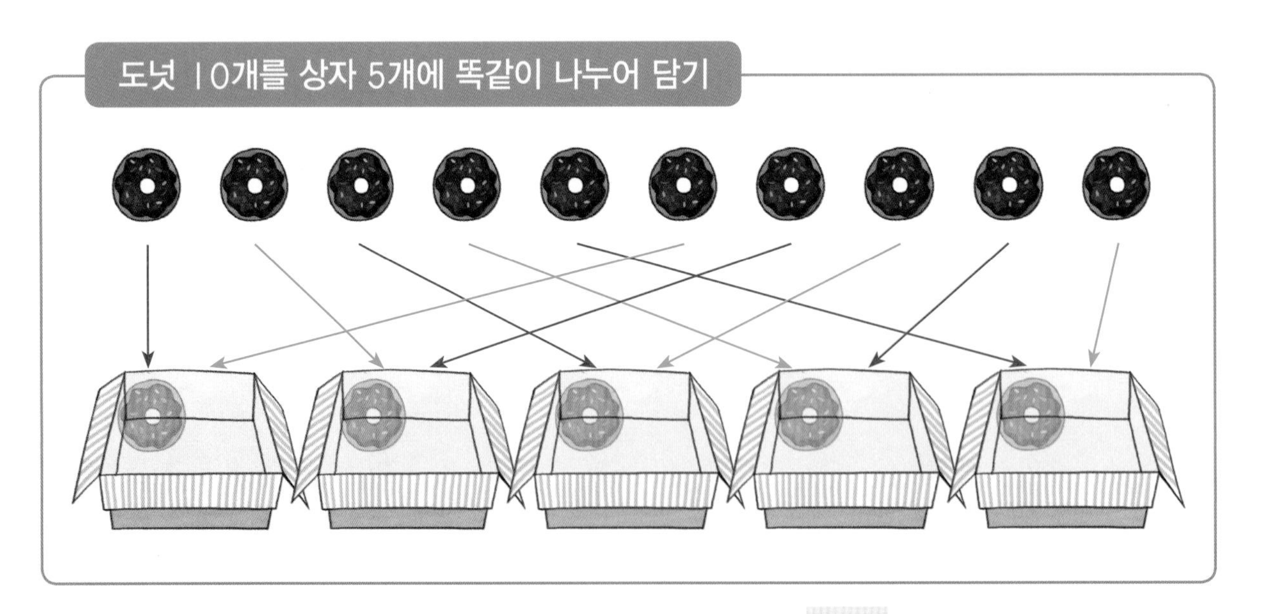

➡ 한 상자에 들어가는 도넛의 개수 : 10 ÷ 5 = (개)

2의 단, 5의 단 곱셈을 이용하여 나눗셈을 하시오.

보기

$5 \times 2 = 10$ ➡ 5 개씩 2묶음이면 10개입니다.

$10 \div 2 = 5$ ➡ 10개를 2묶음으로 나누면 1묶음에 5 개씩 입니다.

$7 \times 2 = 14$

$14 \div 2 = \square$

$6 \times 5 = 30$

$30 \div 5 = \square$

$4 \times 2 = 8$

$8 \div 2 = \square$

$8 \times 5 = 40$

$40 \div 5 = \square$

$8 \times 2 = 16$

$16 \div 2 = \square$

$9 \times 5 = 45$

$45 \div 5 = \square$

2의 단 곱셈을 이용하여 나눗셈을 하시오.

$\boxed{3} \times 2 = 6$

$6 \div 2 = \boxed{3}$

$\boxed{5} \times 2 = 10$

$10 \div 2 = \square$

$\square \times 2 = 4$

$4 \div 2 = \square$

$\square \times 2 = 18$

$18 \div 2 = \square$

$\square \times 2 = 12$

$12 \div 2 = \square$

$\square \times 2 = 8$

$8 \div 2 = \square$

$\square \times 2 = 16$

$16 \div 2 = \square$

$\square \times 2 = 6$

$6 \div 2 = \square$

$\square \times 2 = 2$

$2 \div 2 = \square$

$\square \times 2 = 14$

$14 \div 2 = \square$

5의 단 곱셈을 이용하여 나눗셈을 하시오.

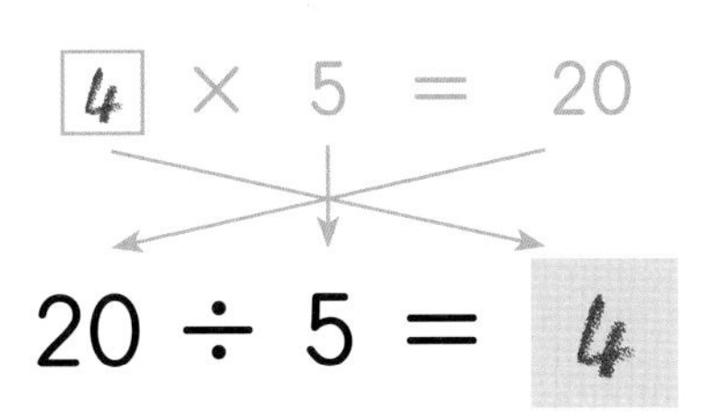

$20 \div 5 = $ 4

$3 \times 5 = 15$

$15 \div 5 = \square$

$\square \times 5 = 35$

$35 \div 5 = \square$

$\square \times 5 = 25$

$25 \div 5 = \square$

$\square \times 5 = 45$

$45 \div 5 = \square$

$\square \times 5 = 10$

$10 \div 5 = \square$

$\square \times 5 = 5$

$5 \div 5 = \square$

$\square \times 5 = 20$

$20 \div 5 = \square$

$\square \times 5 = 40$

$40 \div 5 = \square$

$\square \times 5 = 30$

$30 \div 5 = \square$

나눗셈을 하시오.

$8 \div 2 =$ ☐

$12 \div 2 =$ ☐

$16 \div 2 =$ ☐

$4 \div 2 =$ ☐

$14 \div 2 =$ ☐

$18 \div 2 =$ ☐

$2 \div 2 =$ ☐

$6 \div 2 =$ ☐

$18 \div 2 =$ ☐

$10 \div 2 =$ ☐

$6 \div 2 =$ ☐

$16 \div 2 =$ ☐

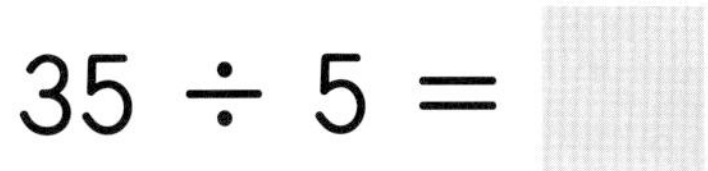

$20 \div 5 = \square$

$10 \div 5 = \square$

$30 \div 5 = \square$

$40 \div 5 = \square$

$15 \div 5 = \square$

$5 \div 5 = \square$

$45 \div 5 = \square$

$30 \div 5 = \square$

$35 \div 5 = \square$

$25 \div 5 = \square$

$20 \div 5 = \square$

3의 단, 4의 단

물고기를 모든 어항에 똑같은 수만큼씩 나누어 붙이며 나눗셈을 하시오.

준비물 ▶ 붙임 딱지

물고기 9마리를 어항 3개에 똑같이 나누어 넣기

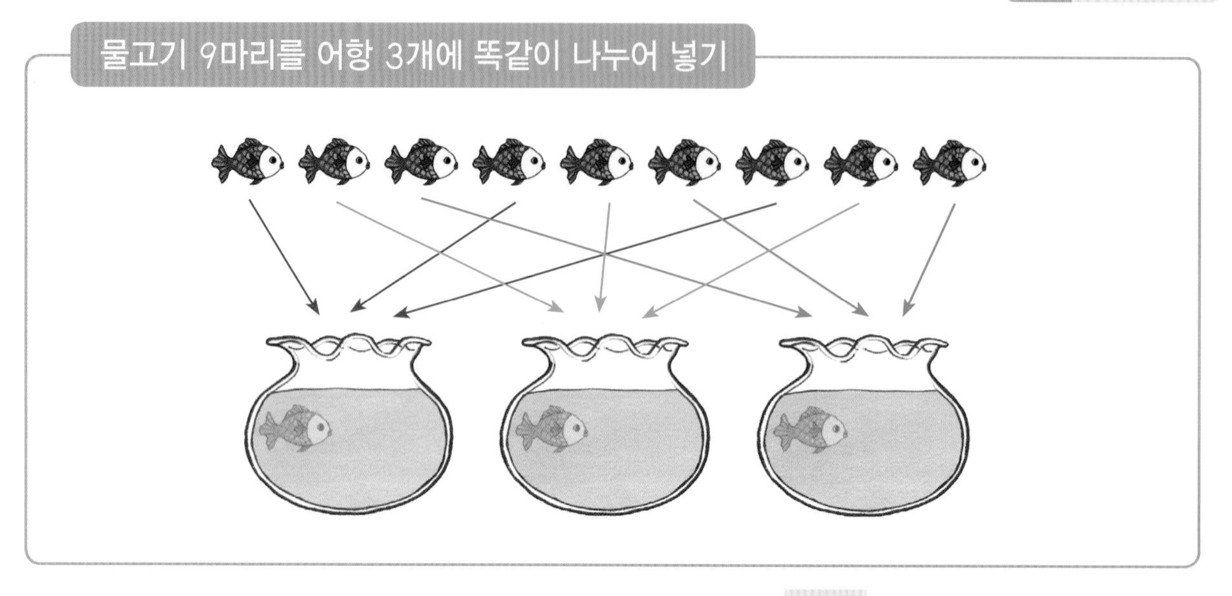

➡ 어항 1개에 들어가는 물고기의 수 : 9 ÷ 3 = ☐ (마리)

물고기 8마리를 어항 4개에 똑같이 나누어 넣기

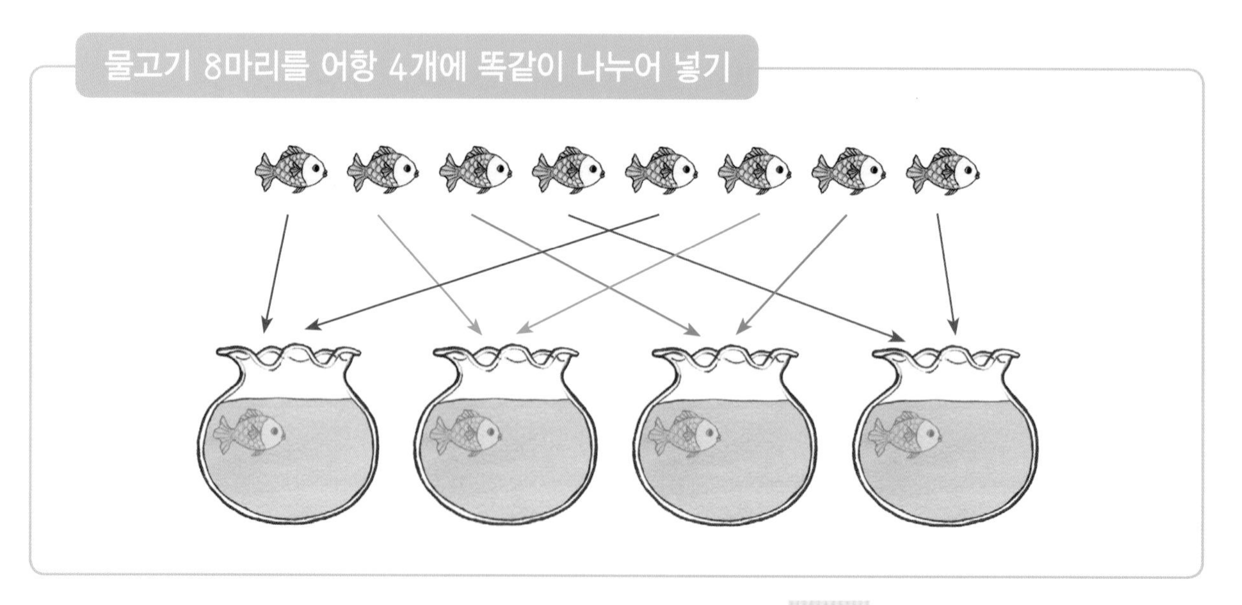

➡ 어항 1개에 들어가는 물고기의 수 : 8 ÷ 4 = ☐ (마리)

3의 단, 4의 단 곱셈을 이용하여 나눗셈을 하시오.

보기

$5 \times 3 = 15$ ➡ 5 개씩 3묶음이면 15개입니다.

$15 \div 3 = 5$ ➡ 15개를 3묶음으로 나누면 1묶음에 5 개씩 입니다.

$7 \times 3 = 21$

$21 \div 3 = \square$

$8 \times 4 = 32$

$32 \div 4 = \square$

$4 \times 3 = 12$

$12 \div 3 = \square$

$2 \times 4 = 8$

$8 \div 4 = \square$

$9 \times 3 = 27$

$27 \div 3 = \square$

$5 \times 4 = 20$

$20 \div 4 = \square$

1
C01

3의 단 곱셈을 이용하여 나눗셈을 하시오.

$\boxed{4} \times 3 = 12$

$12 \div 3 = 4$

$\boxed{2} \times 3 = 6$

$6 \div 3 = \square$

$\square \times 3 = 24$

$24 \div 3 = \square$

$\square \times 3 = 21$

$21 \div 3 = \square$

$\square \times 3 = 18$

$18 \div 3 = \square$

$\square \times 3 = 3$

$3 \div 3 = \square$

$\square \times 3 = 21$

$21 \div 3 = \square$

$\square \times 3 = 15$

$15 \div 3 = \square$

$\square \times 3 = 9$

$9 \div 3 = \square$

$\square \times 3 = 27$

$27 \div 3 = \square$

1
C01

4의 단 곱셈을 이용하여 나눗셈을 하시오.

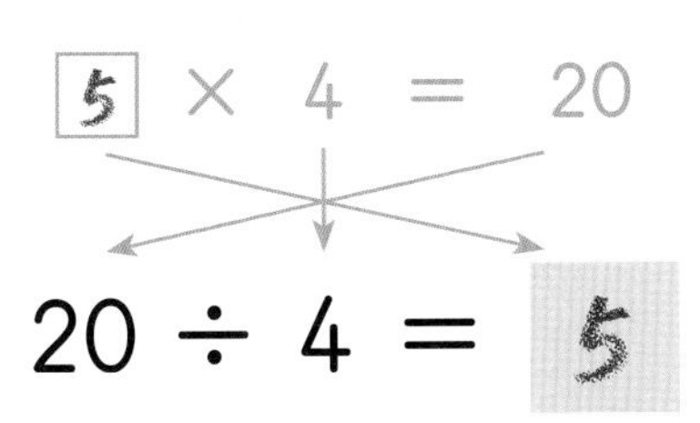

$5 \times 4 = 20$

$20 \div 4 = 5$

$7 \times 4 = 28$

$28 \div 4 = \square$

$\square \times 4 = 12$

$12 \div 4 = \square$

$\square \times 4 = 8$

$8 \div 4 = \square$

$\square \times 4 = 4$

$4 \div 4 = \square$

$\square \times 4 = 16$

$16 \div 4 = \square$

$\square \times 4 = 36$

$36 \div 4 = \square$

$\square \times 4 = 20$

$20 \div 4 = \square$

$\square \times 4 = 24$

$24 \div 4 = \square$

$\square \times 4 = 32$

$32 \div 4 = \square$

나눗셈을 하시오.

$12 \div 3 = \square$

$21 \div 3 = \square$

$3 \div 3 = \square$

$18 \div 3 = \square$

$21 \div 3 = \square$

$9 \div 3 = \square$

$6 \div 3 = \square$

$15 \div 3 = \square$

$24 \div 3 = \square$

$12 \div 3 = \square$

$27 \div 3 = \square$

$18 \div 3 = \square$

$12 \div 4 = \square$

$8 \div 4 = \square$

$16 \div 4 = \square$

$20 \div 4 = \square$

$4 \div 4 = \square$

$32 \div 4 = \square$

$20 \div 4 = \square$

$28 \div 4 = \square$

$12 \div 4 = \square$

$36 \div 4 = \square$

$24 \div 4 = \square$

$28 \div 4 = \square$

6의 단, 7의 단

과일을 봉지에 똑같은 수만큼씩 나누어 붙이며 나눗셈을 하시오.

준비물 ▶ 붙임 딱지

사과 18개를 한 봉지에 6개씩 담기

$18 - 6 - 6 - 6 = 0$

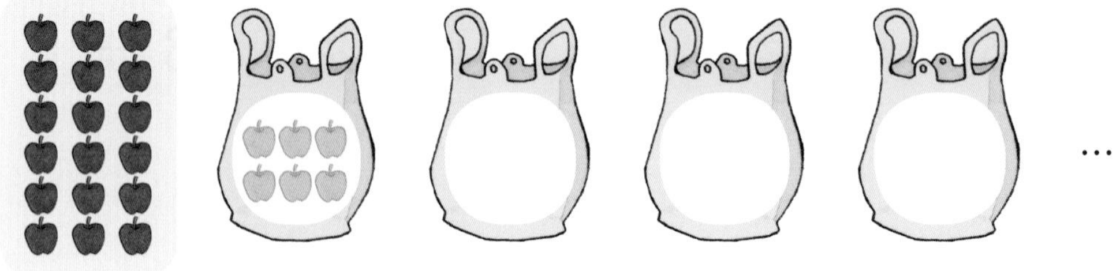

➡ 필요한 봉지의 개수 : $18 \div 6 = \square$ (개)

귤 28개를 한 봉지에 7개씩 담기

$28 - 7 - 7 - 7 - 7 = 0$

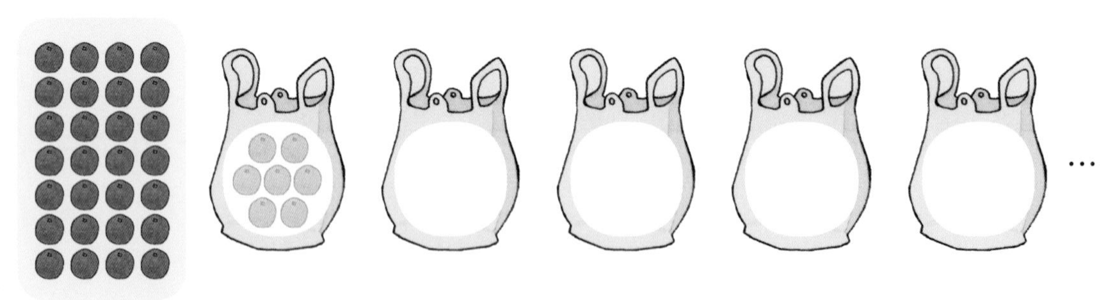

➡ 필요한 봉지의 개수 : $28 \div 7 = \square$ (개)

6의 단, 7의 단 곱셈을 이용하여 나눗셈을 하시오.

보기

$6 \times 2 = 12$ ➡ 6개씩 2 묶음이면 12개입니다.

$12 \div 6 = 2$ ➡ 12개를 6개씩 나누면 2 묶음입니다.

$6 \times 5 = 30$

$30 \div 6 = \square$

$7 \times 6 = 42$

$42 \div 7 = \square$

$6 \times 4 = 24$

$24 \div 6 = \square$

$7 \times 2 = 14$

$14 \div 7 = \square$

$6 \times 9 = 54$

$54 \div 6 = \square$

$7 \times 4 = 28$

$28 \div 7 = \square$

6의 단 곱셈을 이용하여 나눗셈을 하시오.

$6 \times \boxed{4} = 24$

$24 \div 6 = 4$

$6 \times \boxed{2} = 12$

$12 \div 6 = \square$

$6 \times \square = 18$

$18 \div 6 = \square$

$6 \times \square = 30$

$30 \div 6 = \square$

$6 \times \square = 54$

$54 \div 6 = \square$

$6 \times \square = 6$

$6 \div 6 = \square$

$6 \times \square = 36$

$36 \div 6 = \square$

$6 \times \square = 48$

$48 \div 6 = \square$

$6 \times \square = 42$

$42 \div 6 = \square$

$6 \times \square = 18$

$18 \div 6 = \square$

7의 단 곱셈을 이용하여 나눗셈을 하시오.

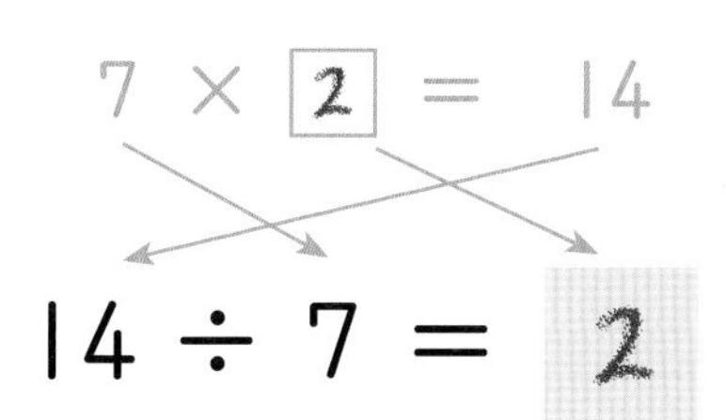

$7 \times \boxed{2} = 14$

$14 \div 7 = 2$

$7 \times \boxed{5} = 35$

$35 \div 7 = \square$

$7 \times \square = 7$

$7 \div 7 = \square$

$7 \times \square = 63$

$63 \div 7 = \square$

$7 \times \square = 42$

$42 \div 7 = \square$

$7 \times \square = 28$

$28 \div 7 = \square$

$7 \times \square = 21$

$21 \div 7 = \square$

$7 \times \square = 56$

$56 \div 7 = \square$

$7 \times \square = 14$

$14 \div 7 = \square$

$7 \times \square = 49$

$49 \div 7 = \square$

나눗셈을 하시오.

$30 \div 6 =$ ☐

$6 \div 6 =$ ☐

$48 \div 6 =$ ☐

$54 \div 6 =$ ☐

$18 \div 6 =$ ☐

$42 \div 6 =$ ☐

$36 \div 6 =$ ☐

$30 \div 6 =$ ☐

$12 \div 6 =$ ☐

$48 \div 6 =$ ☐

$54 \div 6 =$ ☐

$24 \div 6 =$ ☐

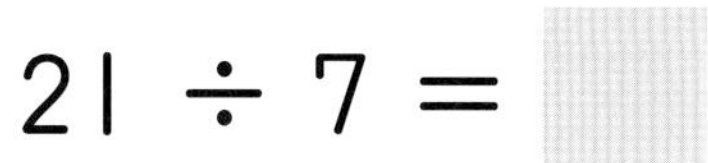

$21 \div 7 = \square$

$14 \div 7 = \square$

$28 \div 7 = \square$

$7 \div 7 = \square$

$56 \div 7 = \square$

$35 \div 7 = \square$

$28 \div 7 = \square$

$42 \div 7 = \square$

$63 \div 7 = \square$

$14 \div 7 = \square$

$21 \div 7 = \square$

$49 \div 7 = \square$

8의 단, 9의 단

꽃을 꽃병에 똑같은 수만큼씩 나누어 붙이며 나눗셈을 하시오.

준비물 ▸ 붙임 딱지

꽃 32송이를 꽃병 하나에 8송이씩 꽂기

$32 - 8 - 8 - 8 - 8 = 0$

…

➡ 필요한 꽃병의 개수 : $32 \div 8 = \square$ (개)

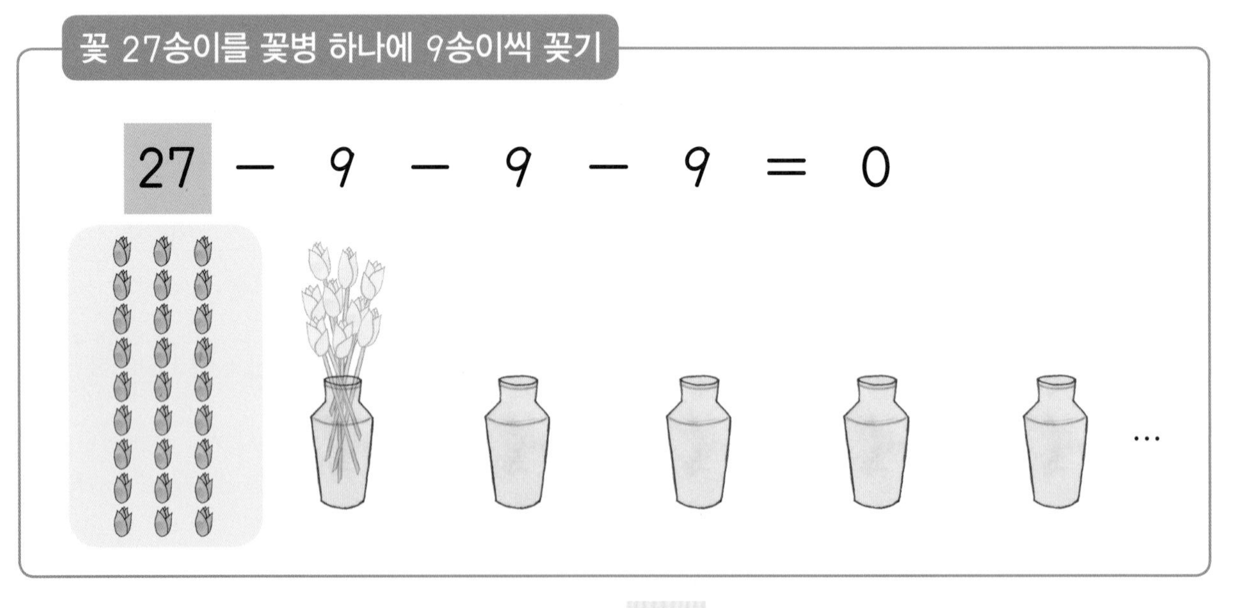

꽃 27송이를 꽃병 하나에 9송이씩 꽂기
27 − 9 − 9 − 9 = 0
…

➡ 필요한 꽃병의 개수 : $27 \div 9 = \square$ (개)

8의 단, 9의 단 곱셈을 이용하여 나눗셈을 하시오.

보기

$8 \times 3 = 24$ ➡ 8개씩 3 묶음이면 24개입니다.

$24 \div 8 = 3$ ➡ 24개를 8개씩 나누면 3 묶음입니다.

$8 \times 4 = 32$

$32 \div 8 = \square$

$9 \times 5 = 45$

$45 \div 9 = \square$

$8 \times 2 = 16$

$16 \div 8 = \square$

$9 \times 6 = 54$

$54 \div 9 = \square$

$8 \times 7 = 56$

$56 \div 8 = \square$

$9 \times 9 = 81$

$81 \div 9 = \square$

8의 단 곱셈을 이용하여 나눗셈을 하시오.

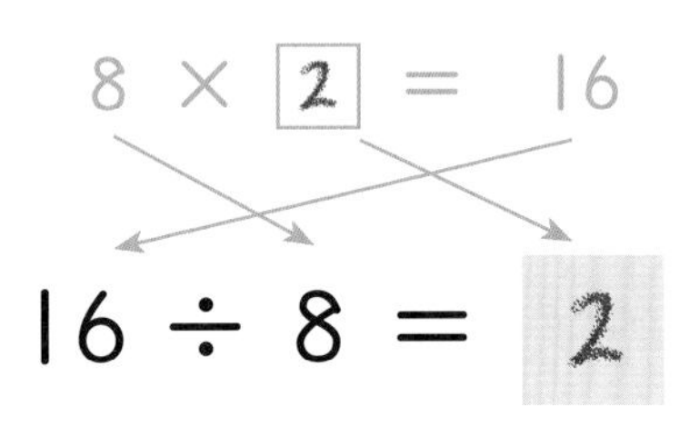

8 × [2] = 16

16 ÷ 8 = 2

8 × [5] = 40

40 ÷ 8 = □

8 × □ = 24

24 ÷ 8 = □

8 × □ = 56

56 ÷ 8 = □

8 × □ = 48

48 ÷ 8 = □

8 × □ = 32

32 ÷ 8 = □

8 × □ = 8

8 ÷ 8 = □

8 × □ = 64

64 ÷ 8 = □

8 × □ = 72

72 ÷ 8 = □

8 × □ = 16

16 ÷ 8 = □

9의 단 곱셈을 이용하여 나눗셈을 하시오.

$9 \times \boxed{3} = 27$

$27 \div 9 = 3$

$9 \times \boxed{4} = 36$

$36 \div 9 = \square$

$9 \times \square = 63$

$63 \div 9 = \square$

$9 \times \square = 18$

$18 \div 9 = \square$

$9 \times \square = 9$

$9 \div 9 = \square$

$9 \times \square = 54$

$54 \div 9 = \square$

$9 \times \square = 81$

$81 \div 9 = \square$

$9 \times \square = 72$

$72 \div 9 = \square$

$9 \times \square = 54$

$54 \div 9 = \square$

$9 \times \square = 45$

$45 \div 9 = \square$

나눗셈을 하시오.

$32 \div 8 = \square$

$16 \div 8 = \square$

$24 \div 8 = \square$

$48 \div 8 = \square$

$72 \div 8 = \square$

$8 \div 8 = \square$

$56 \div 8 = \square$

$32 \div 8 = \square$

$16 \div 8 = \square$

$64 \div 8 = \square$

$40 \div 8 = \square$

$56 \div 8 = \square$

$9 \div 9 = \square$

$18 \div 9 = \square$

$54 \div 9 = \square$

$72 \div 9 = \square$

$27 \div 9 = \square$

$63 \div 9 = \square$

$36 \div 9 = \square$

$81 \div 9 = \square$

$63 \div 9 = \square$

$18 \div 9 = \square$

$45 \div 9 = \square$

$36 \div 9 = \square$

연산 실력 체크

정답 수	/ 40개
날 짜	월 일

2~4주 사고력 연산을 학습하기 전에 기본 연산 실력을 점검해 보세요.

1. $16 \div 2 =$ ☐

2. $24 \div 8 =$ ☐

3. $20 \div 5 =$ ☐

4. $35 \div 7 =$ ☐

5. $54 \div 6 =$ ☐

6. $12 \div 3 =$ ☐

7. $24 \div 4 =$ ☐

8. $27 \div 3 =$ ☐

9. $42 \div 6 =$ ☐

10. $27 \div 9 =$ ☐

11. $20 \div 4 =$ ☐

12. $45 \div 5 =$ ☐

13. $54 \div 9 = \square$

14. $8 \div 2 = \square$

15. $36 \div 4 = \square$

16. $40 \div 8 = \square$

17. $48 \div 6 = \square$

18. $16 \div 8 = \square$

19. $32 \div 4 = \square$

20. $56 \div 7 = \square$

21. $15 \div 3 = \square$

22. $40 \div 5 = \square$

23. $7 \div 7 = \square$

24. $81 \div 9 = \square$

25. $64 \div 8 =$ ☐

26. $28 \div 7 =$ ☐

27. $6 \div 2 =$ ☐

28. $30 \div 5 =$ ☐

29. $28 \div 4 =$ ☐

30. $18 \div 6 =$ ☐

31. $45 \div 9 =$ ☐

32. $18 \div 3 =$ ☐

33. $32 \div 8 =$ ☐

34. $49 \div 7 =$ ☐

35. $15 \div 5 =$ ☐

36. $56 \div 8 =$ ☐

37. $10 \div 2 =$ ☐

38. $72 \div 9 =$ ☐

39. $9 \div 3 =$ ☐

40. $35 \div 5 =$ ☐

연산 실력 분석

오답 수에 맞게 학습을 진행하시기 바랍니다.

평가	오답 수	학습 방법
최고예요	0 ~ 2개	전반적으로 학습 내용에 대해 정확히 이해하고 있으며 매우 우수합니다. 기본 연산 문제를 자신 있게 풀 수 있는 실력을 갖추었으므로 이제는 사고력을 향상시킬 차례입니다. 2주차부터 차근차근 학습을 진행해 보세요. 학습 [2주차] → [3주차] → [4주차]
잘했어요	3 ~ 4개	기본 연산 문제를 전반적으로 잘 이해하고 풀었지만 약간의 실수가 있는 것 같습니다. 틀린 문제를 다시 한 번 풀어 보고, 문제를 차근차근 푸는 습관을 갖도록 노력해 보세요. 매스티안 홈페이지에서 제공하는 보충 학습으로 연산 실력을 향상시킨 후 2, 3, 4주차 학습을 진행해 주세요. 학습 [틀린 문제 복습] → [보충 학습] → [2주차] → …
노력해요	5개 이상	개념을 정확하게 이해하고 있지 않아 연산을 하는데 어려움이 있습니다. 개념을 이해하고 연산 문제를 반복해서 연습해 보세요. 매스티안 홈페이지에서 제공하는 보충 학습이 연산 실력을 향상시키는데 도움이 될 것입니다. 여러분도 곧 연산왕이 될 수 있습니다. 조금만 힘을 내 주세요. 학습 [1주차 원리 중심 복습] → [보충 학습] → [2주차] → …

매스티안 홈페이지 : www.mathtian.com

C01 나눗셈구구

학습관리표

일 자			소요 시간	틀린 문항 수	확인
1 일차	월	일	:		
2 일차	월	일	:		
3 일차	월	일	:		
4 일차	월	일	:		
5 일차	월	일	:		

2 주

개수 셈

각 동물의 다리 개수만큼 묶어가며 ▒ 안에 알맞은 수를 써넣으시오.

보기

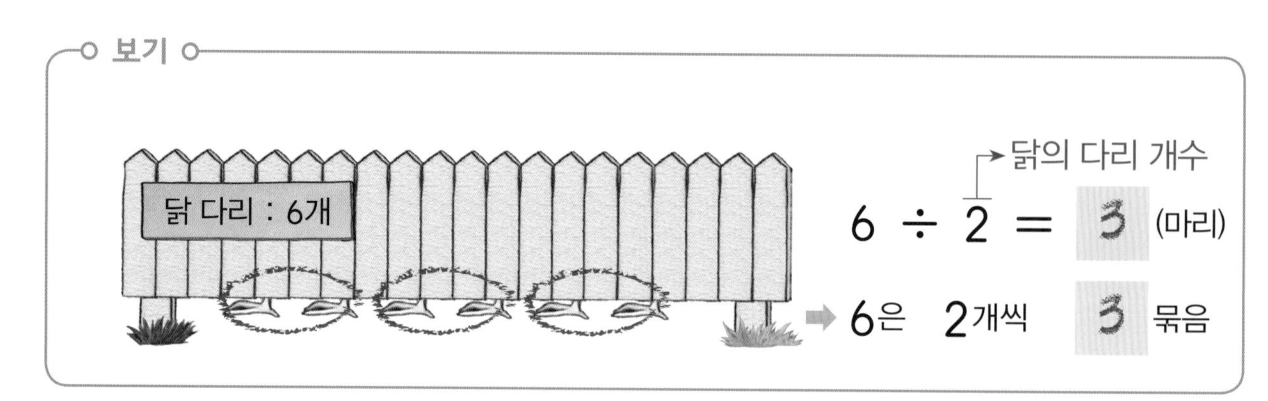

닭의 다리 개수

$6 \div 2 =$ 3 (마리)

➡ 6은 2개씩 3 묶음

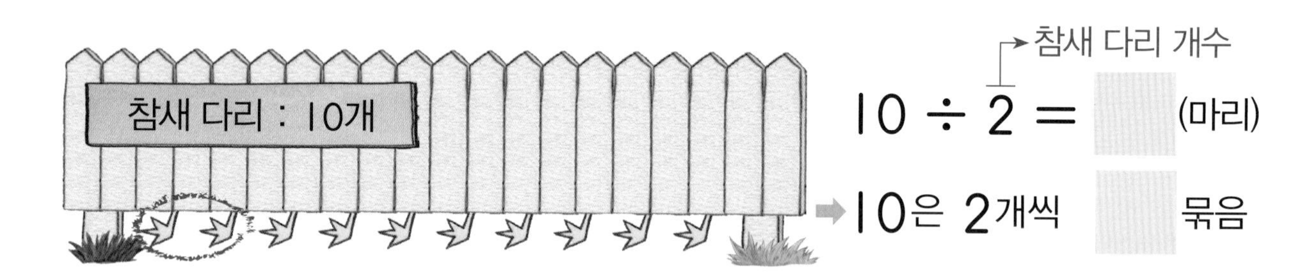

참새 다리 개수

$10 \div 2 =$ ▒ (마리)

➡ 10은 2개씩 ▒ 묶음

학 다리 개수

$14 \div 2 =$ ▒ (마리)

➡ 14는 2개씩 ▒ 묶음

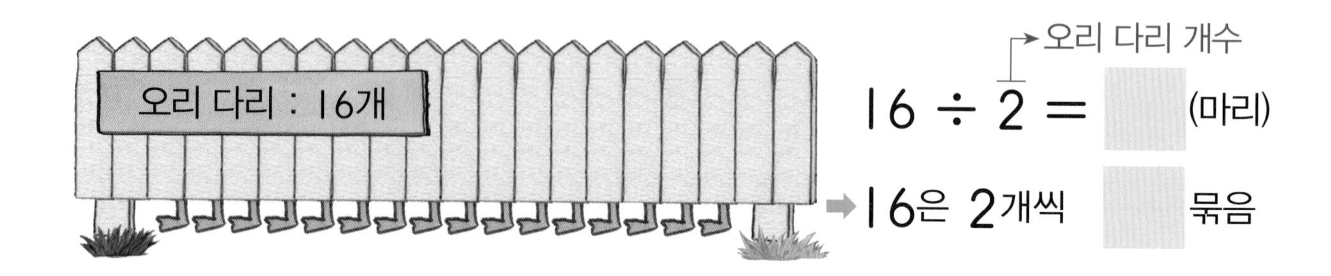

오리 다리 개수

$16 \div 2 =$ ▒ (마리)

➡ 16은 2개씩 ▒ 묶음

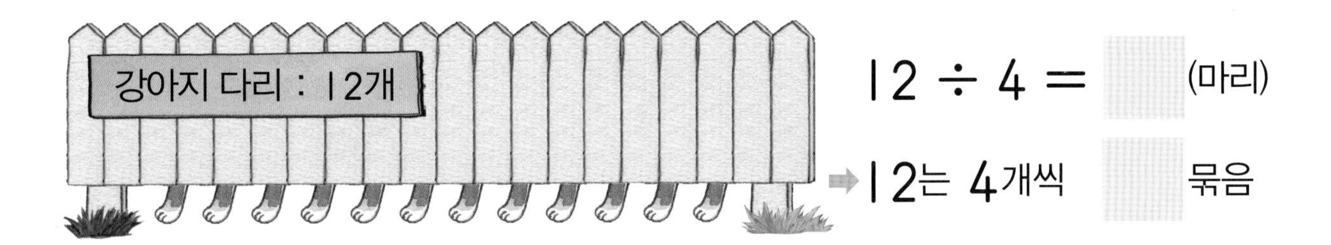

12 ÷ 4 = (마리)

⇒ 12는 4개씩 묶음

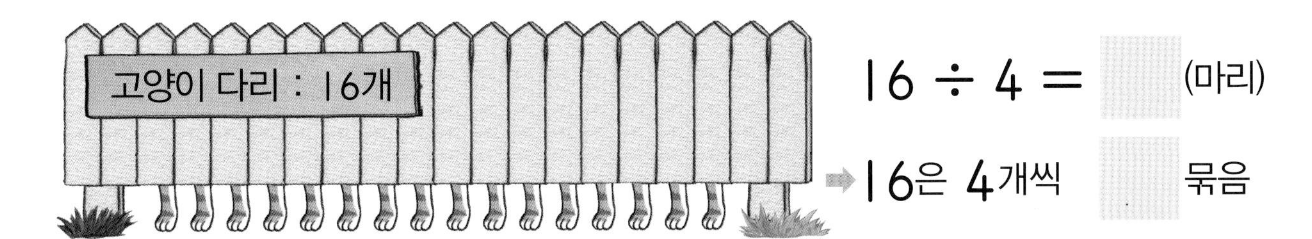

16 ÷ 4 = (마리)

⇒ 16은 4개씩 묶음

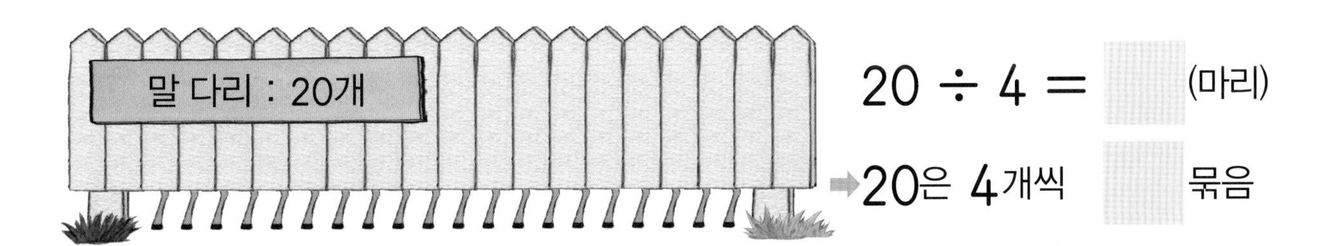

20 ÷ 4 = (마리)

⇒ 20은 4개씩 묶음

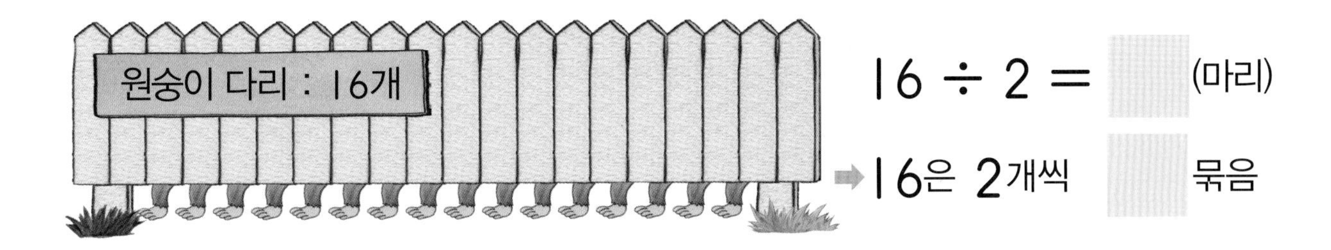

16 ÷ 2 = (마리)

⇒ 16은 2개씩 묶음

각 곤충의 다리 개수만큼 묶어가며 ▒ 안에 알맞은 수를 써넣으시오.

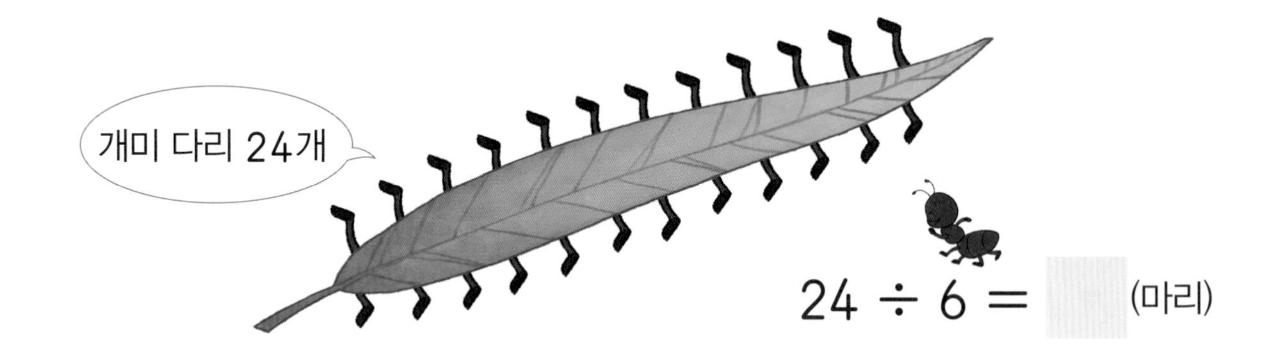

$24 \div 6 = \square$ (마리)

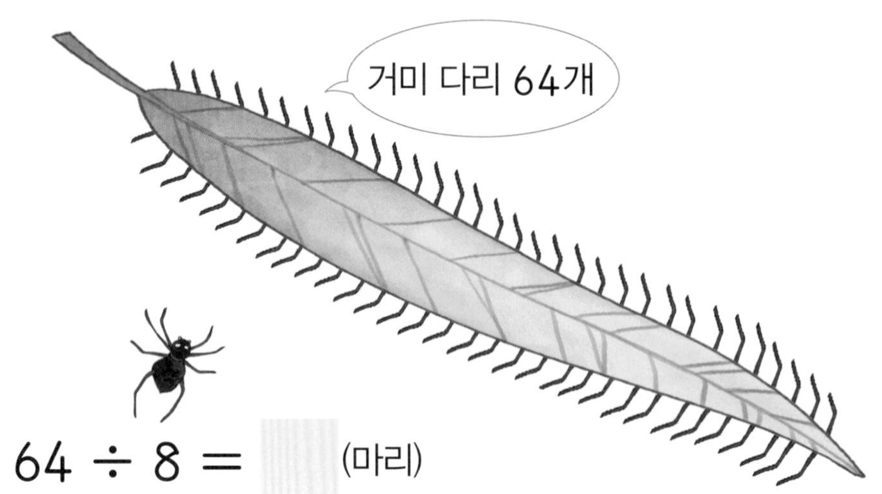

$64 \div 8 = \square$ (마리)

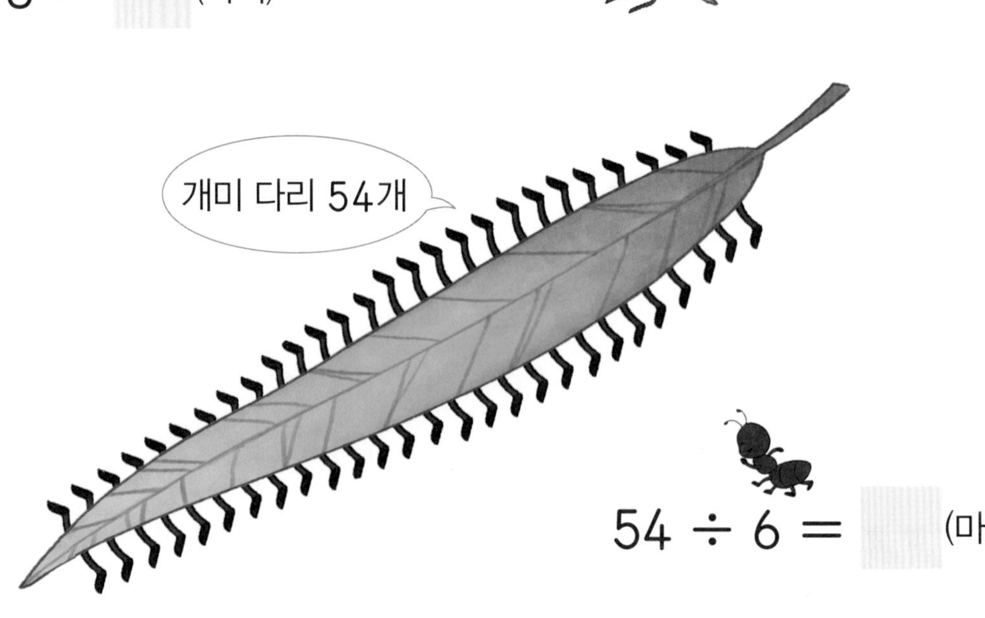

$54 \div 6 = \square$ (마리)

주어진 별을 나눗셈식에 알맞게 묶어가며 ▢ 안에 알맞은 수를 써넣으시오.

6 ÷ 2 = 3

전체 별의 개수 / 한 묶음의 별의 개수 / 묶음의 수

8 ÷ 4 = ▢

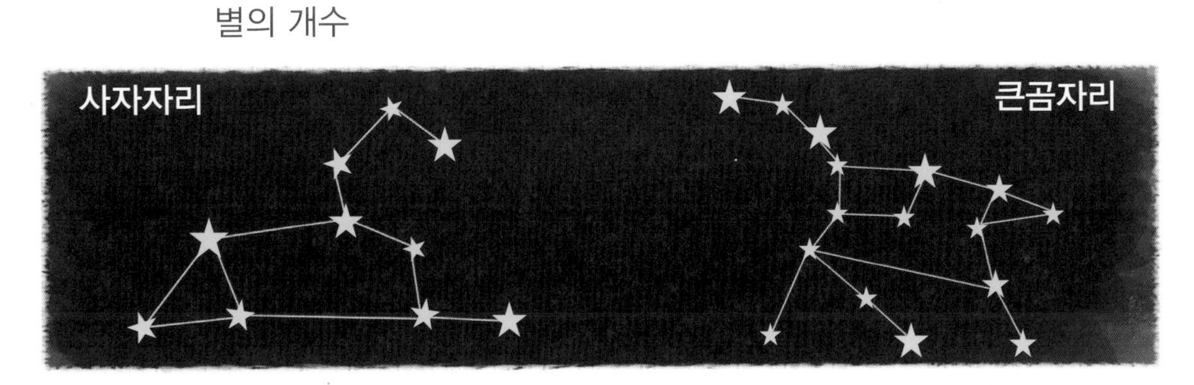

10 ÷ 5 = ▢

16 ÷ 2 = ▢

15 ÷ 3 = ▢

20 ÷ 4 = ▢

2 일차 길이 셈

물건들의 길이를 ▭ 개수로 나누어 ▭ 안에 알맞은 수를 써넣으시오.

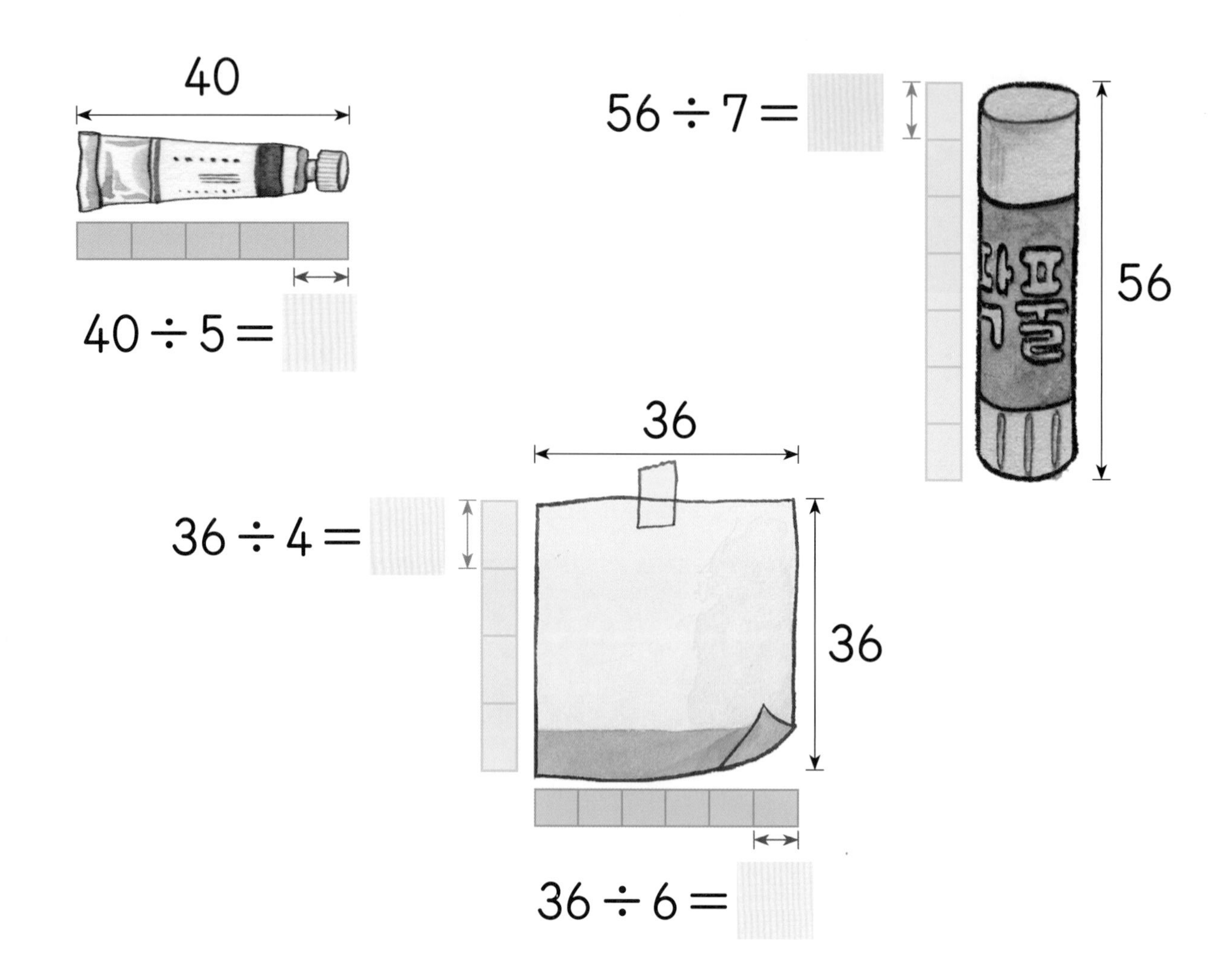

$40 \div 5 =$ ▭

$56 \div 7 =$ ▭

$36 \div 4 =$ ▭

$36 \div 6 =$ ▭

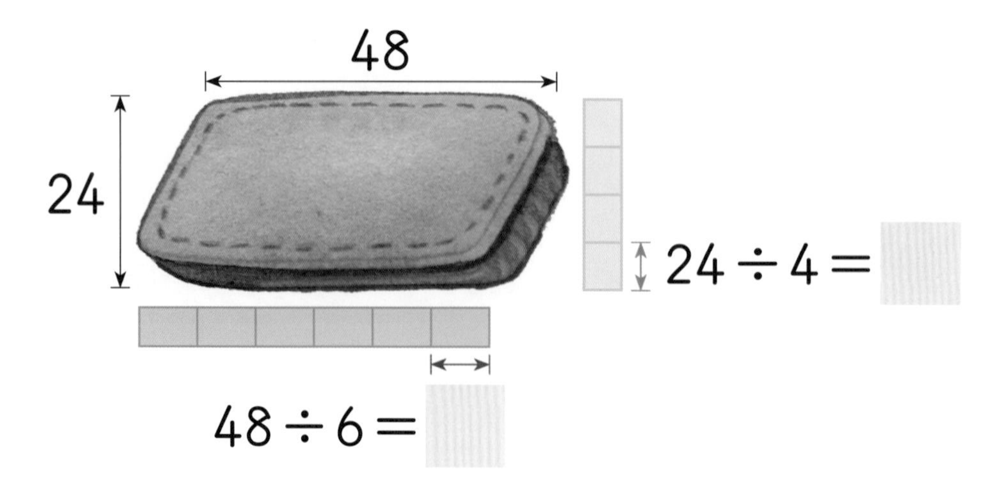

$24 \div 4 =$ ▭

$48 \div 6 =$ ▭

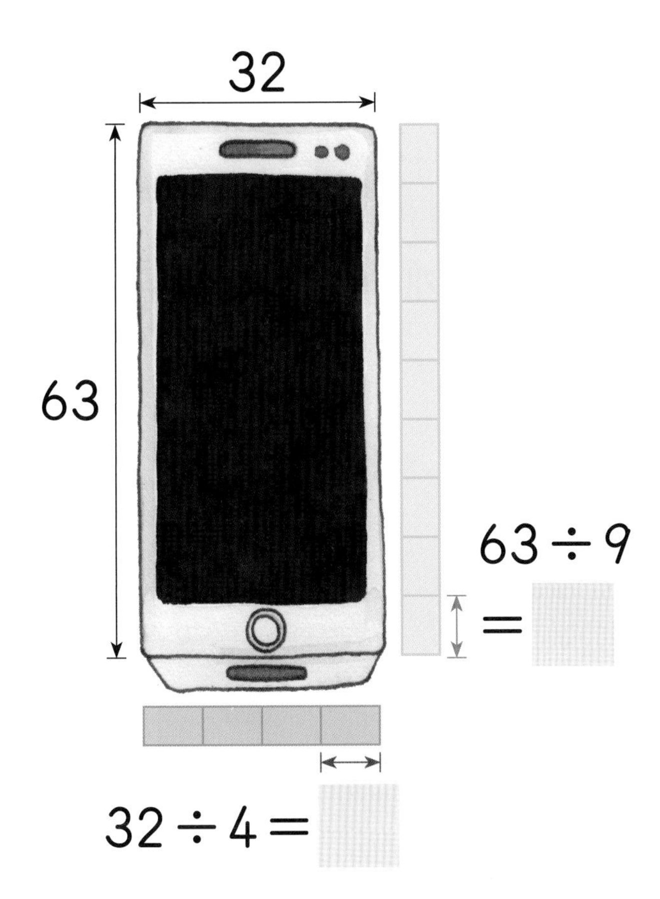

63 ÷ 9 =

32 ÷ 4 =

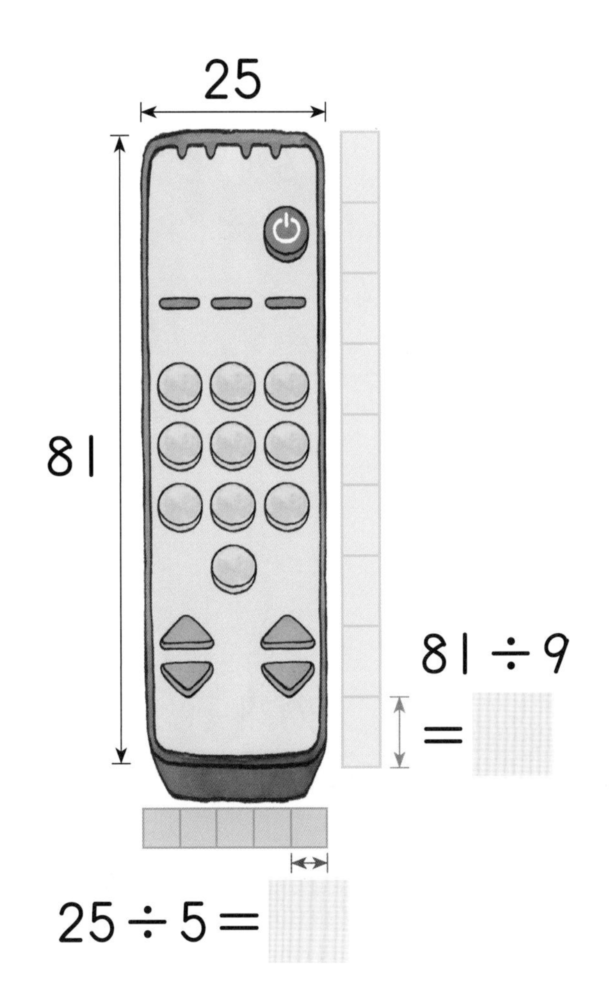

81 ÷ 9 =

25 ÷ 5 =

2
C01

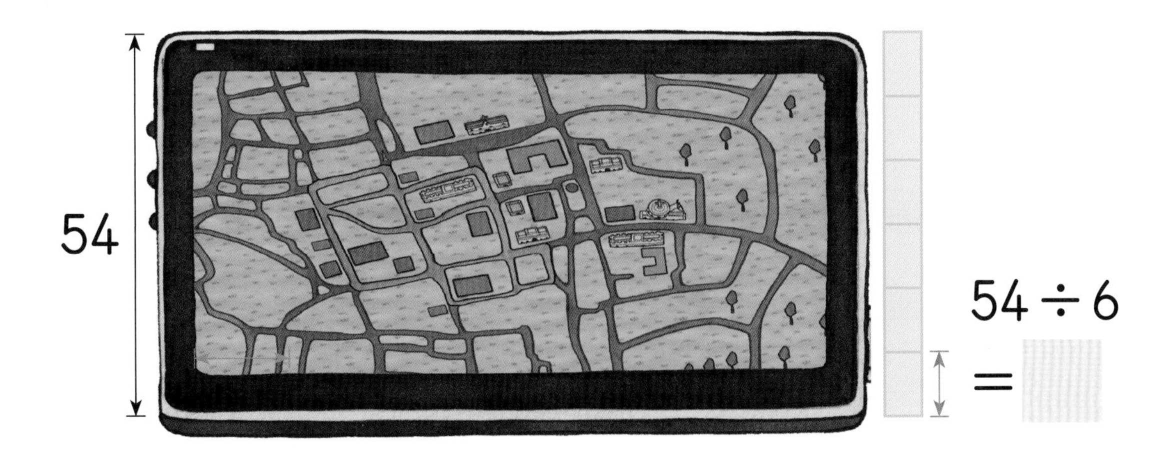

54 ÷ 6 =

안에 알맞은 수를 써넣으시오.

보기

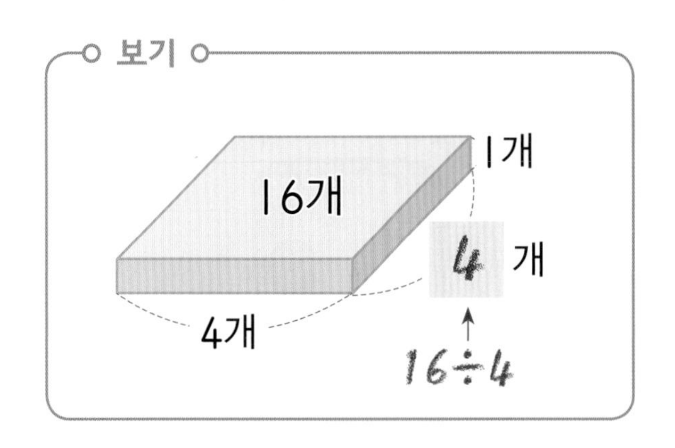

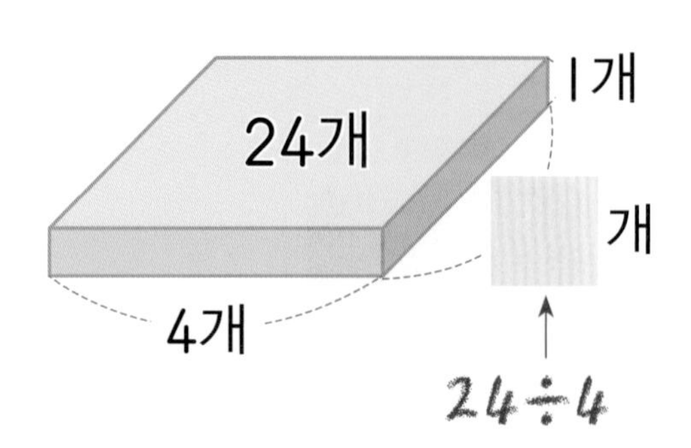

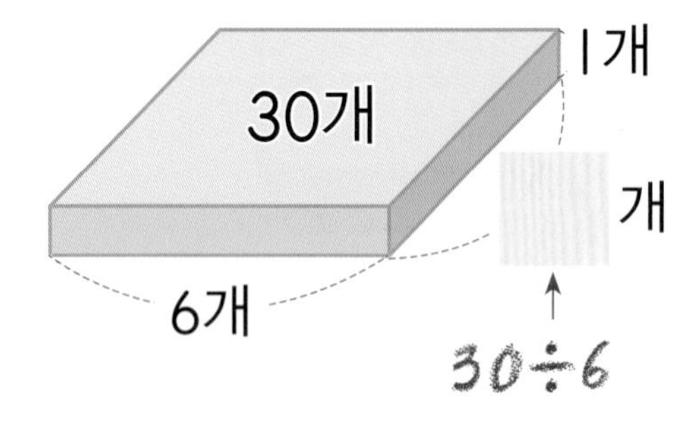

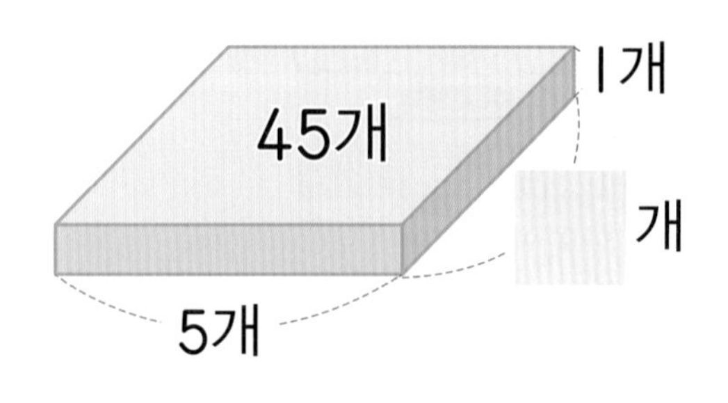

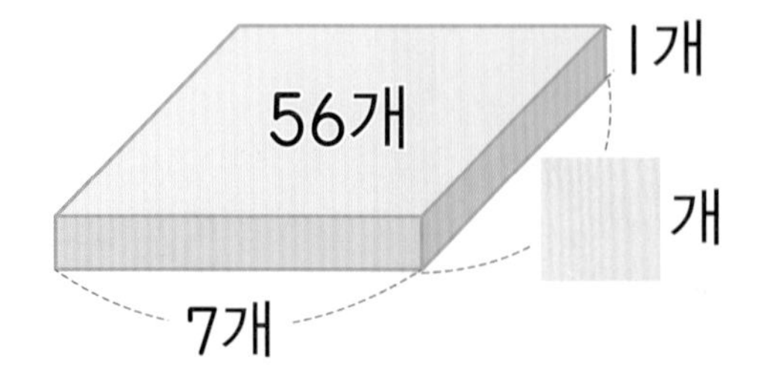

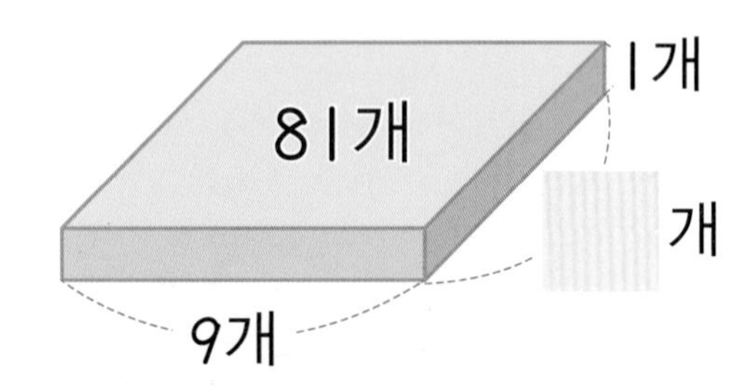

나눗셈한 결과가 같은 칸을 찾아 해당 글자를 써넣어 수수께끼를 해결해 보시오.

밤 $9 \div 3 =$ 3	$4 \div 4 =$ ☐ 떨
지 $14 \div 7 =$ ☐	$20 \div 5 =$ ☐ 똥
에 $40 \div 5 =$ ☐	$30 \div 6 =$ ☐ 하
는 $36 \div 4 =$ ☐	$63 \div 9 =$ ☐ 어
늘 $48 \div 8 =$ ☐	

3	5	6	8	1	7	2	9	4
밤								

은?

수 상자 셈

안에 알맞은 수를 써넣으시오.

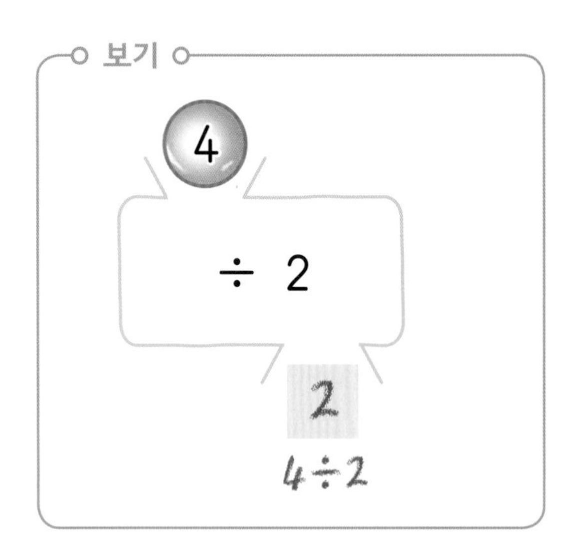

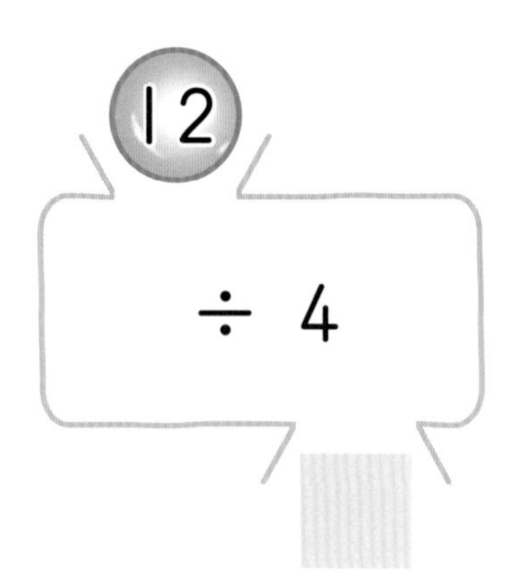

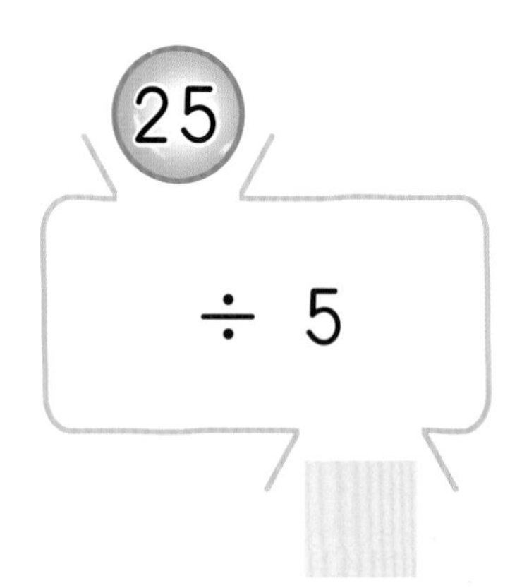

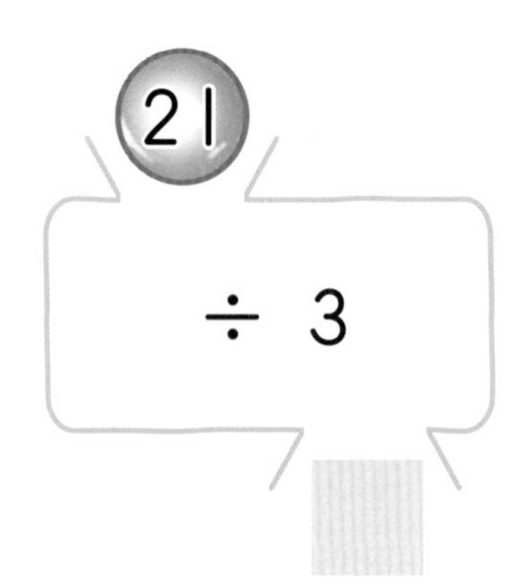

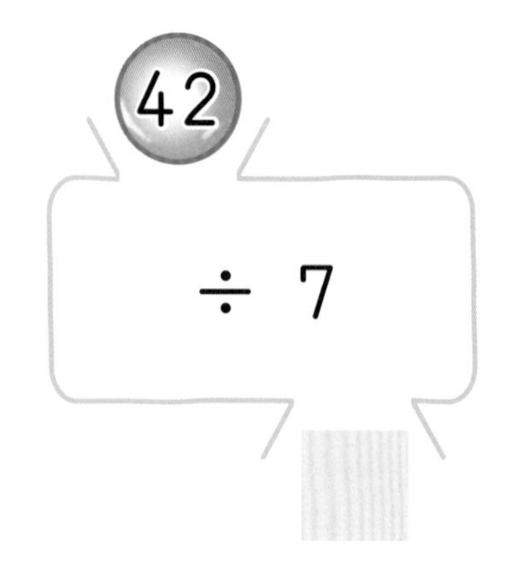

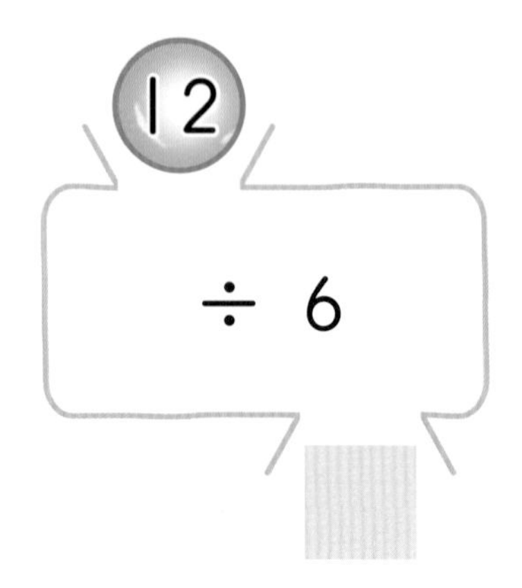

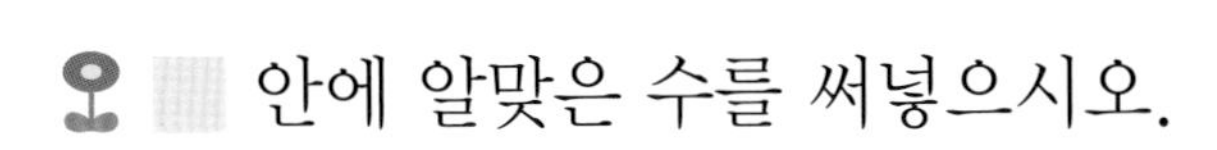

안에 알맞은 수를 써넣으시오.

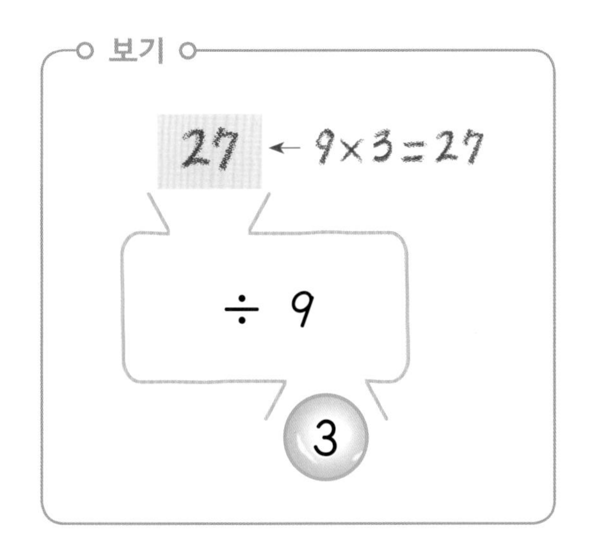

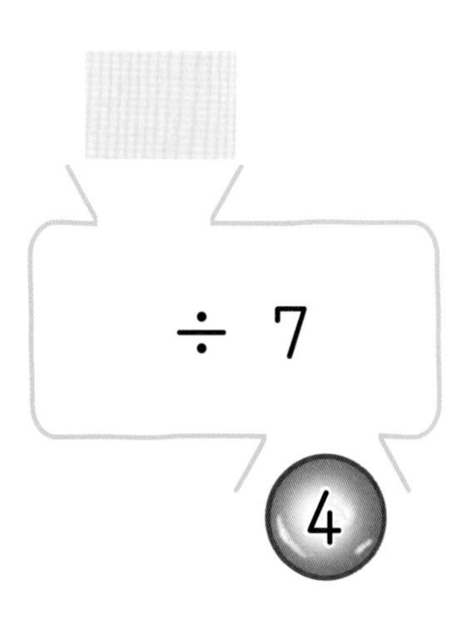

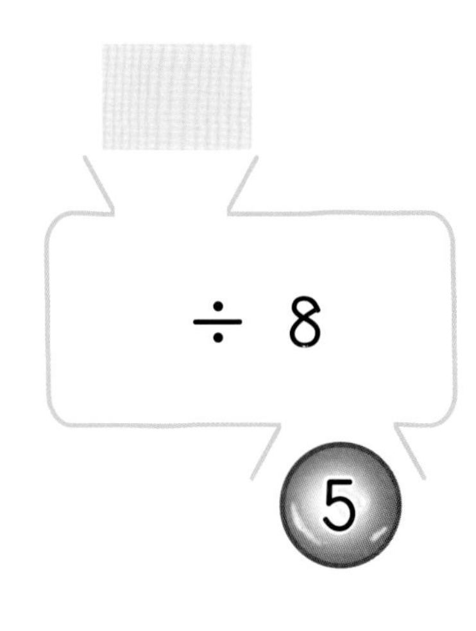

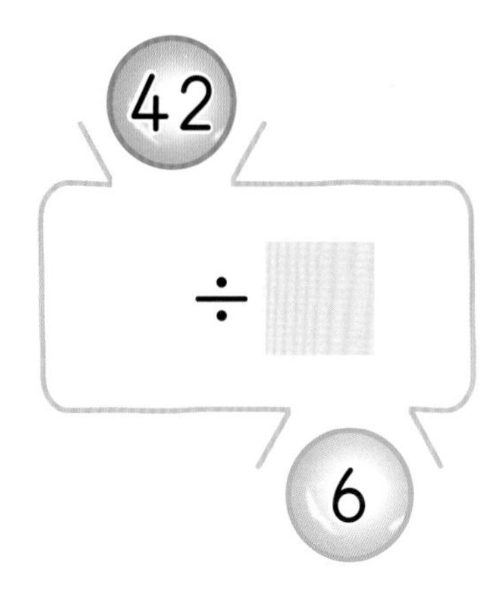

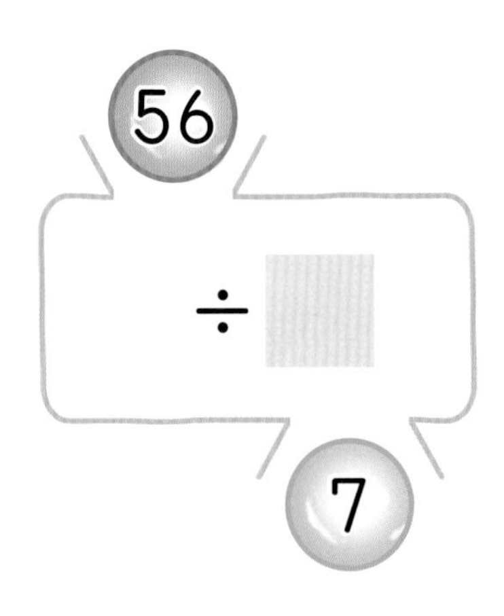

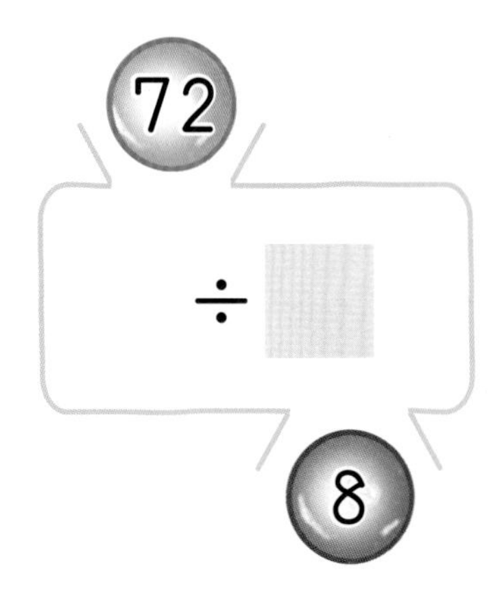

2
C01

규칙을 찾아 빈칸에 알맞은 수를 써넣으시오.

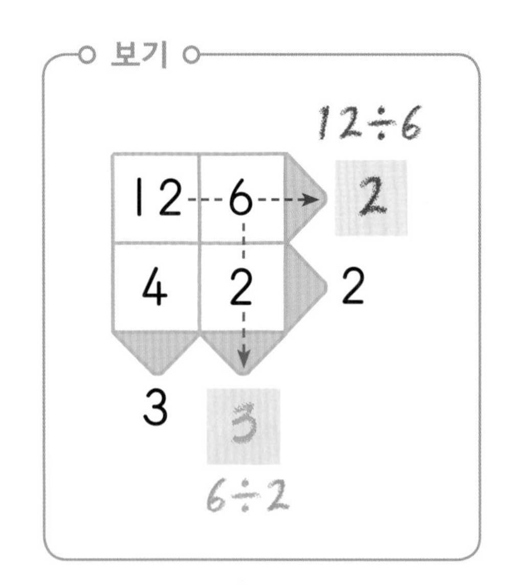

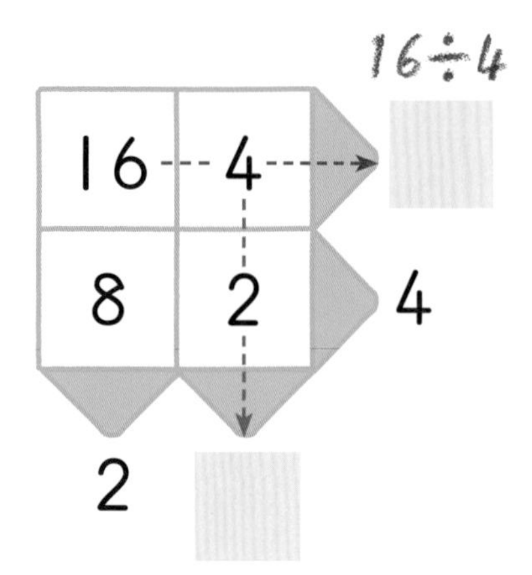

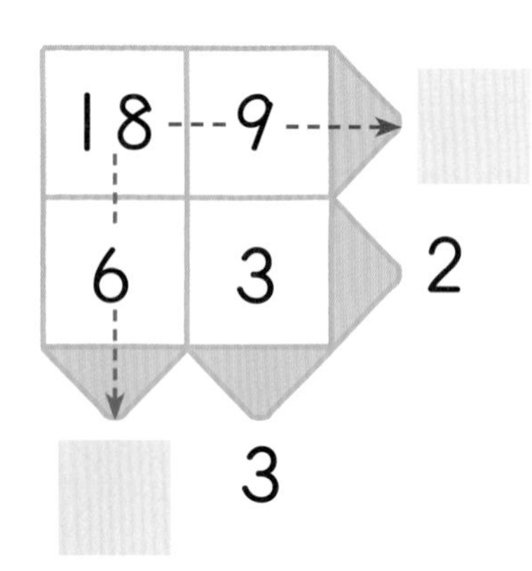

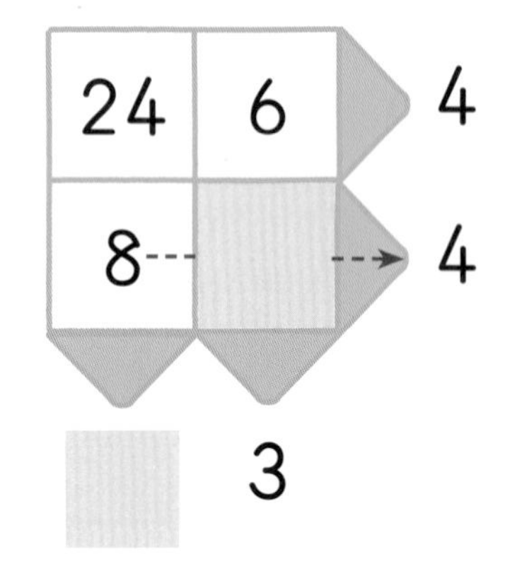

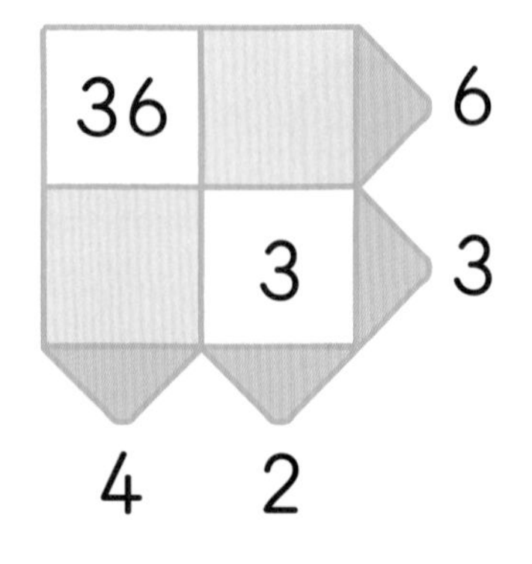

나눗셈을 하여 북극곰을 집으로 데려다 주시오.

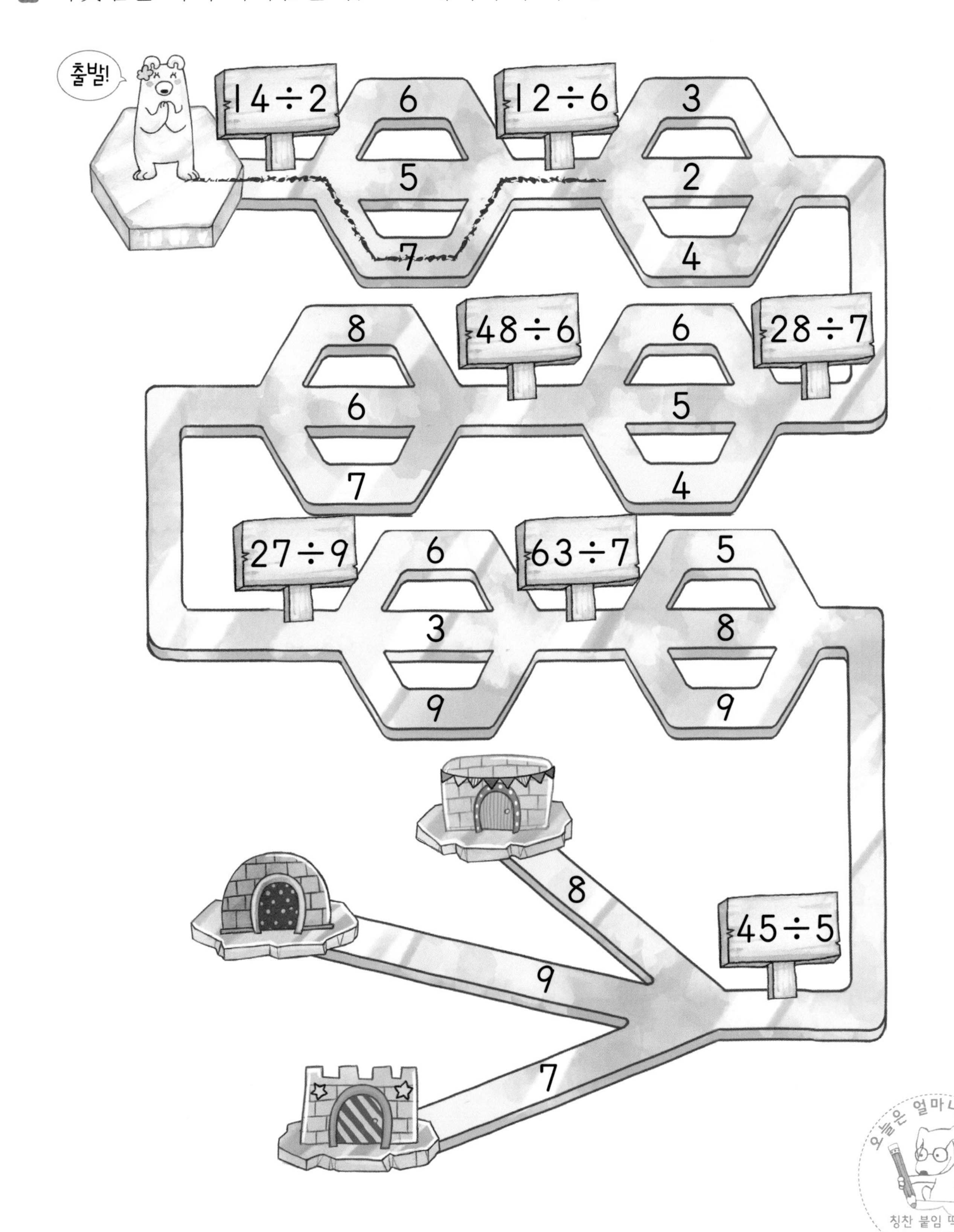

2
C01

오늘은 얼마나 잘했을까요?
칭찬 붙임 딱지를 붙여 주세요!

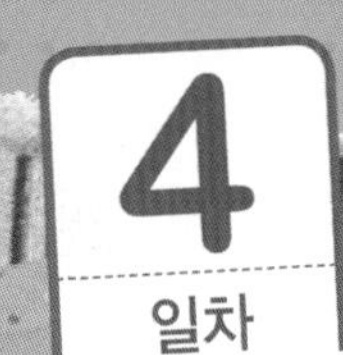

4 일차 나눗셈 퍼즐

▢ 안에 알맞은 수를 써넣으시오.

보기

32 ÷ 8 = 4
÷
2
=
18 ÷ 9 = 2

① 32÷8=4
② 4÷2=2
③ 18÷9=2

16 ÷ 4 = ▢
÷
2
=
▢ ÷ 8 = ▢

12 ÷ 3 = ▢
÷ (12 아래), × (▢ 아래)
2, 9
=
▢, ▢

36 ÷ 6 = ▢
÷
4
=
▢ ÷ 3 = ▢

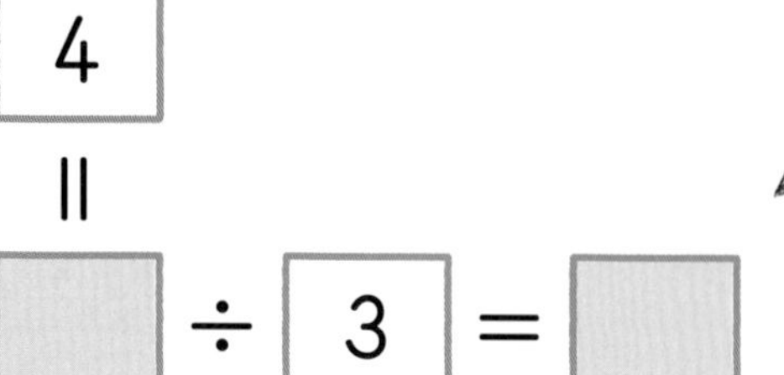
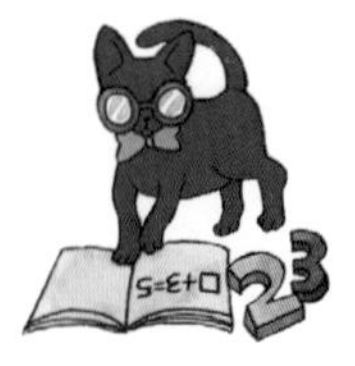
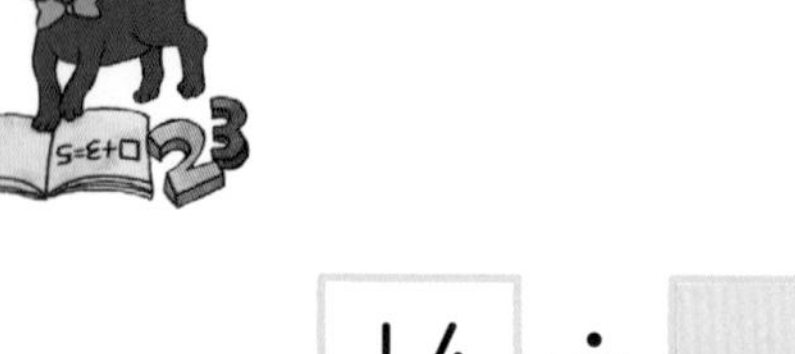

64 ÷ 8 = ▢
÷
4
=
14 ÷ ▢ = ▢

18	÷	2	=	□
÷				÷
3				3
‖				‖
□	÷	2	=	□

24	÷	3	=	□
÷				÷
4				4
‖				‖
□	÷	3	=	□

32	÷	8	=	□
÷				×
4				□
‖				‖
□	÷	1	=	8

6	×	4	=	□
×				÷
2				□
‖				‖
□	÷	□	=	3

54	÷	□	=	9
÷				×
9				□
‖				‖
□	×	□	=	36

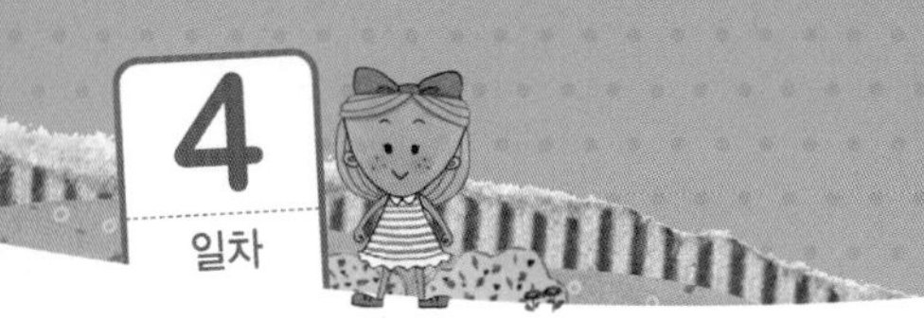

수 카드를 한 번씩만 사용하여 퍼즐을 완성하시오.

1 2 3 4

$8 \times \square = 24$

$\div \qquad \div$

$\square \qquad 6$

$= \qquad =$

$4 \times \square = \square$

5 6 9 20

$6 \times \square = 36$

$+ \qquad \div$

$14 \qquad \square$

$= \qquad =$

$\square \div \square = 4$

1 2 3 6

$9 - 5 = 4$

$\times$

$\square \div \square = \square$

$=$

$8 \div \square = 8$

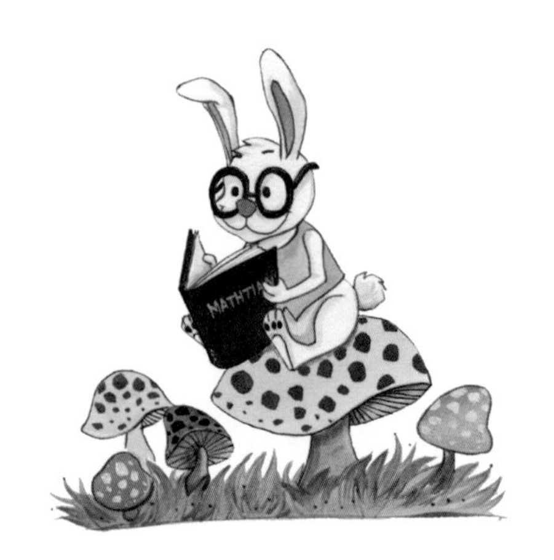

나눗셈 결과와 같은 칸을 찾아 해당하는 글자를 써넣으시오.

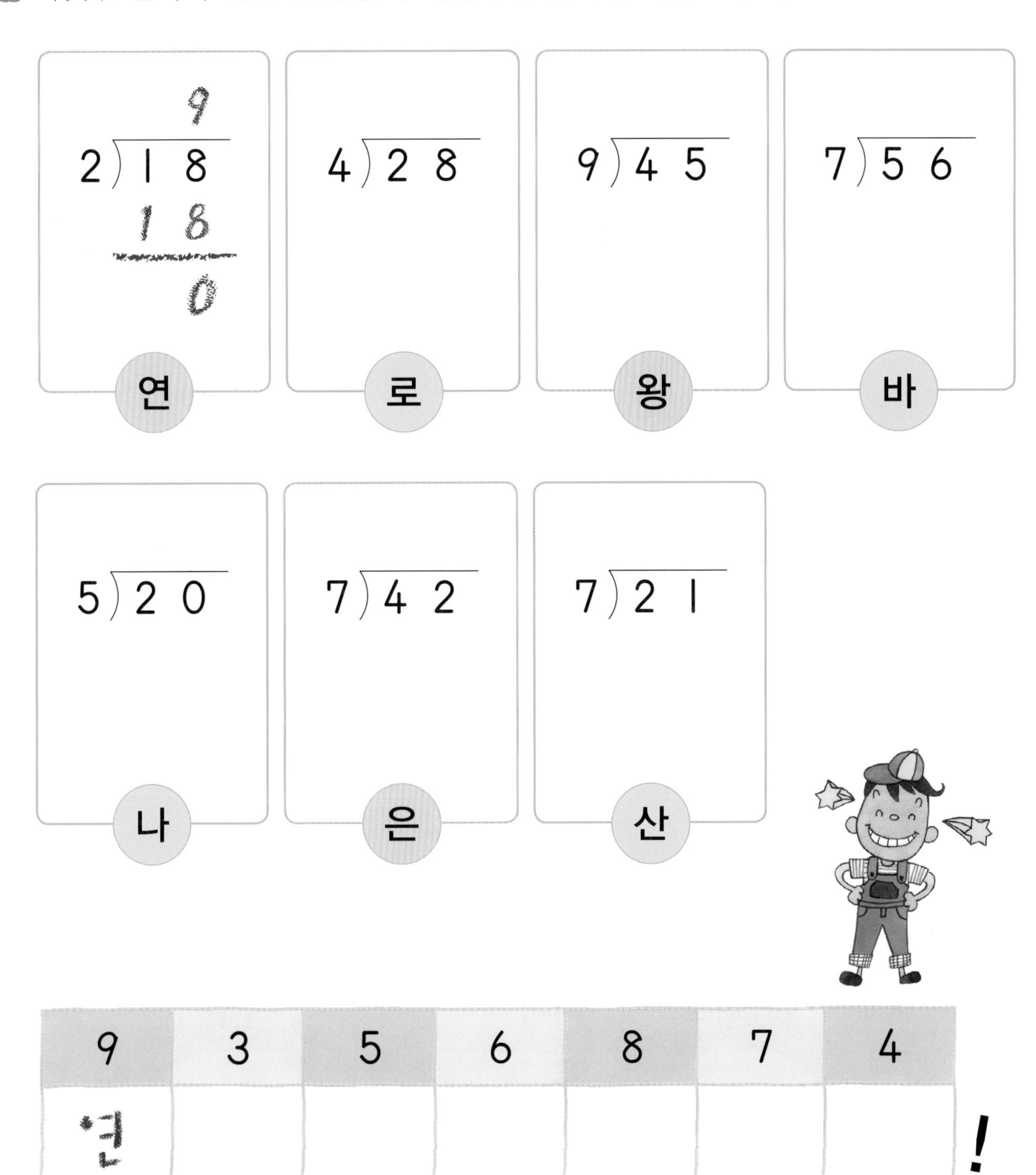

$2\overline{)18}$ 연

$4\overline{)28}$ 로

$9\overline{)45}$ 왕

$7\overline{)56}$ 바

$5\overline{)20}$ 나

$7\overline{)42}$ 은

$7\overline{)21}$ 산

9	3	5	6	8	7	4

!

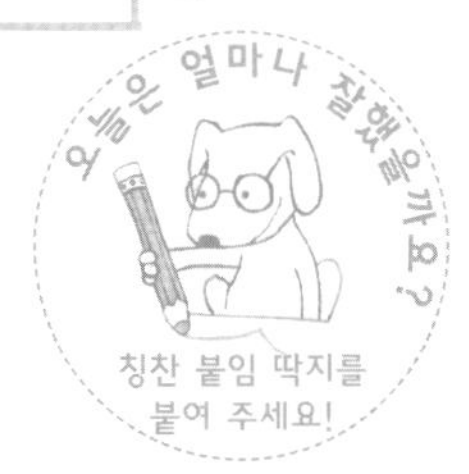

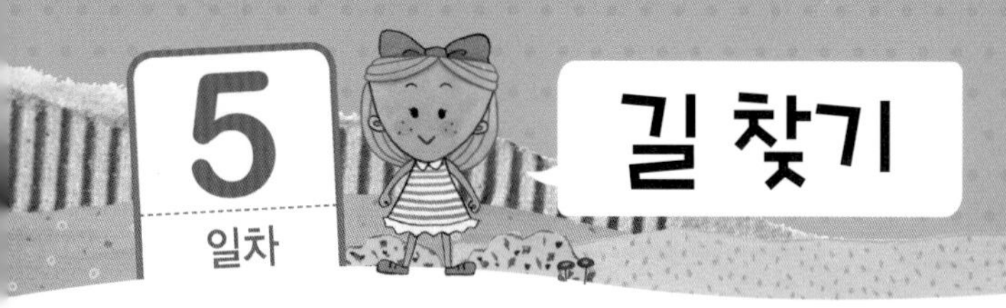

올바른 나눗셈식이 되도록 선을 그어 보시오.

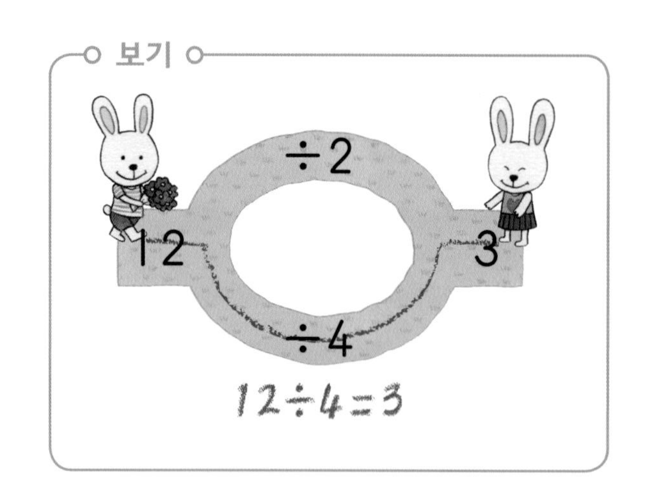

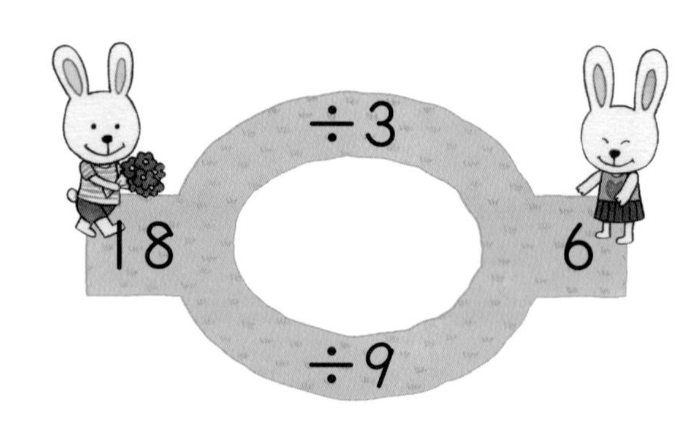

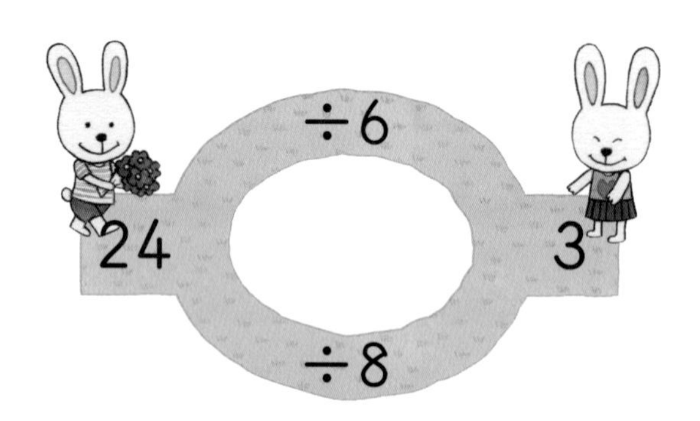

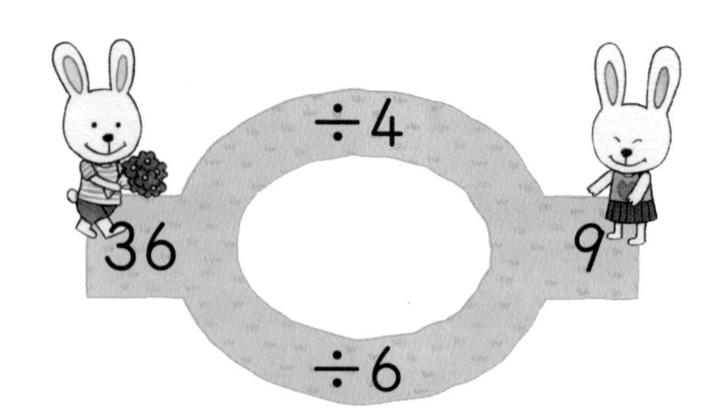

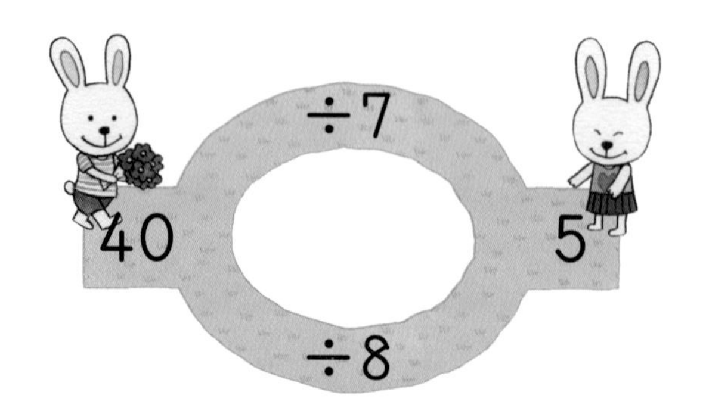

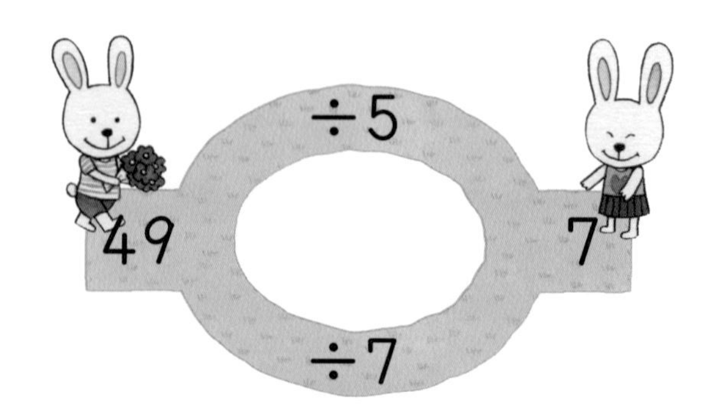

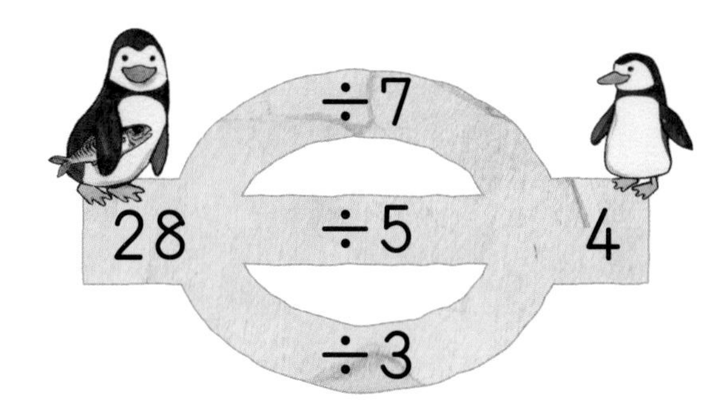

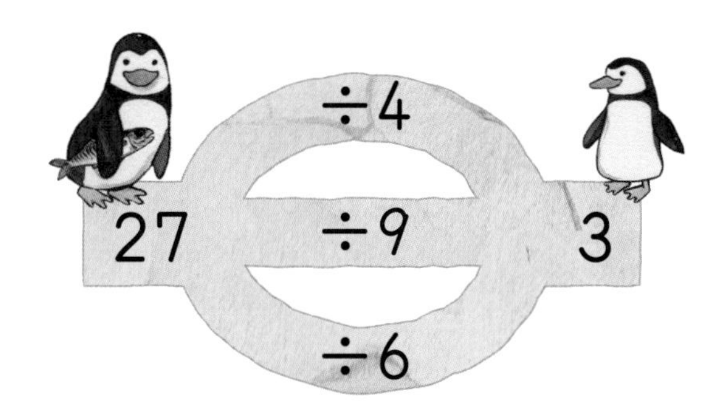

2
C01

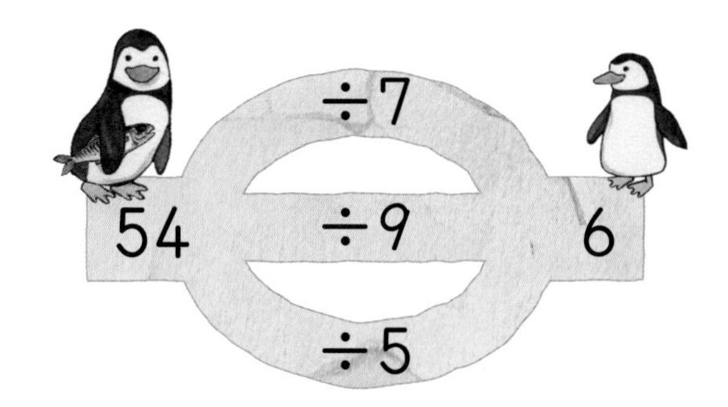

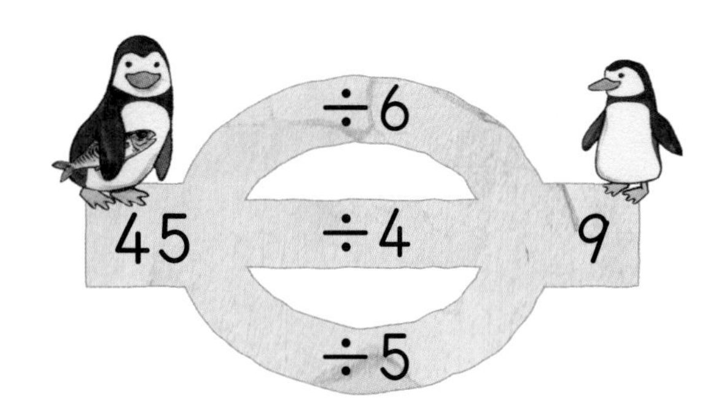

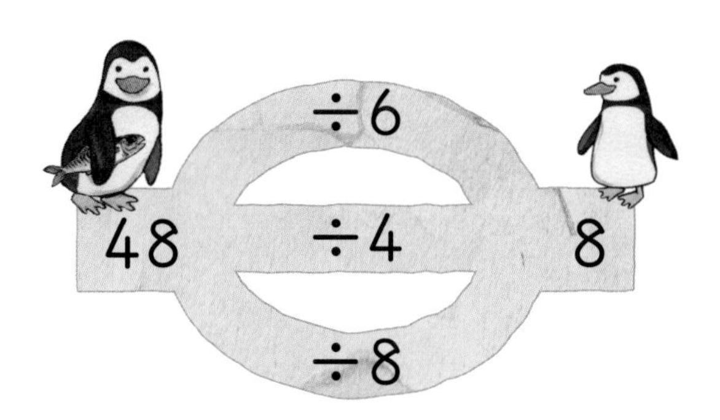

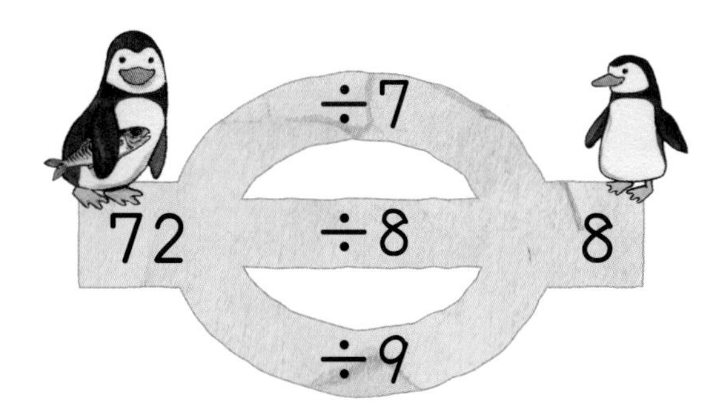

자동차가 지나간 길의 수의 몫이 나오도록 길을 그리고, 식으로 나타내시오.

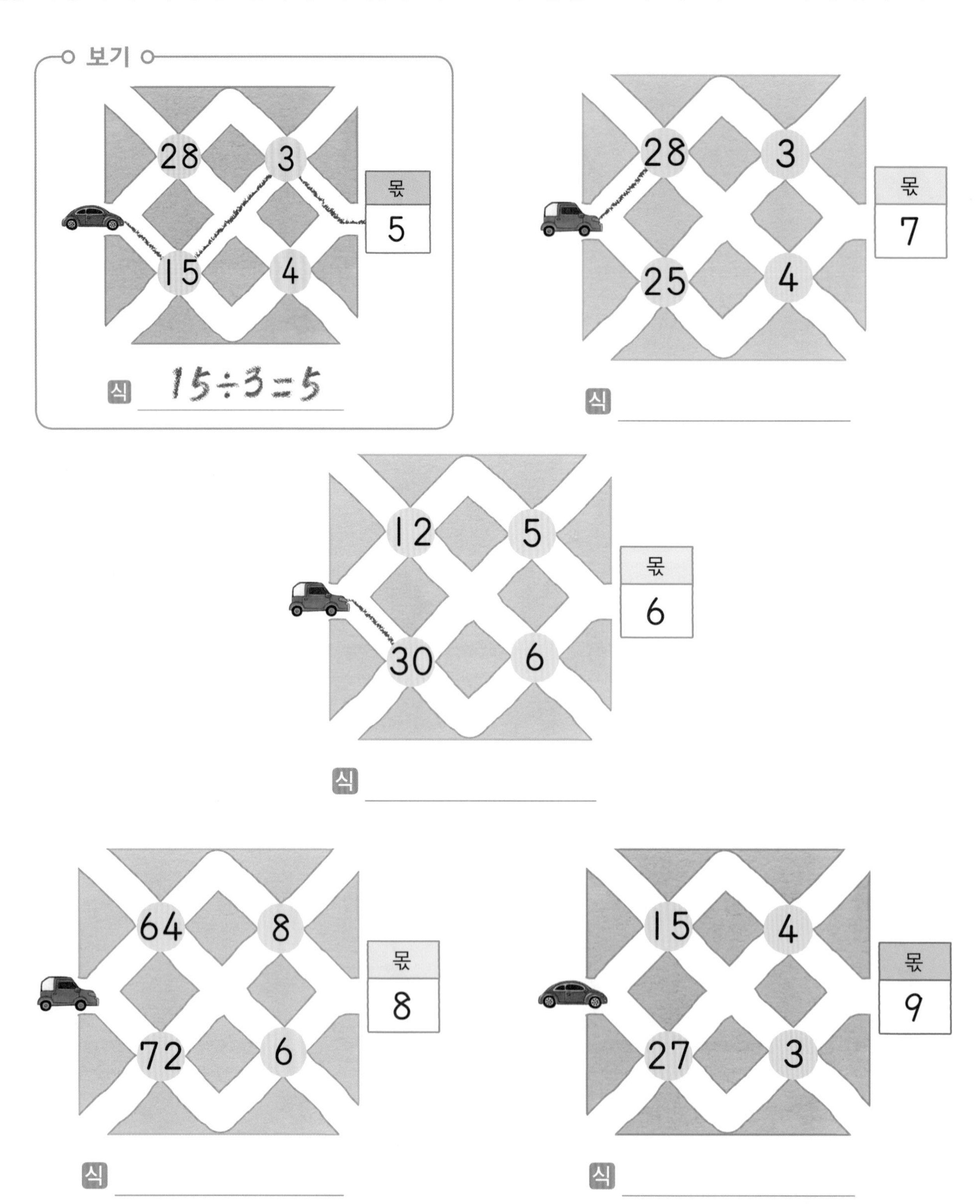

2
C01

몫이 큰 쪽의 길을 따라가 범인을 잡으시오.

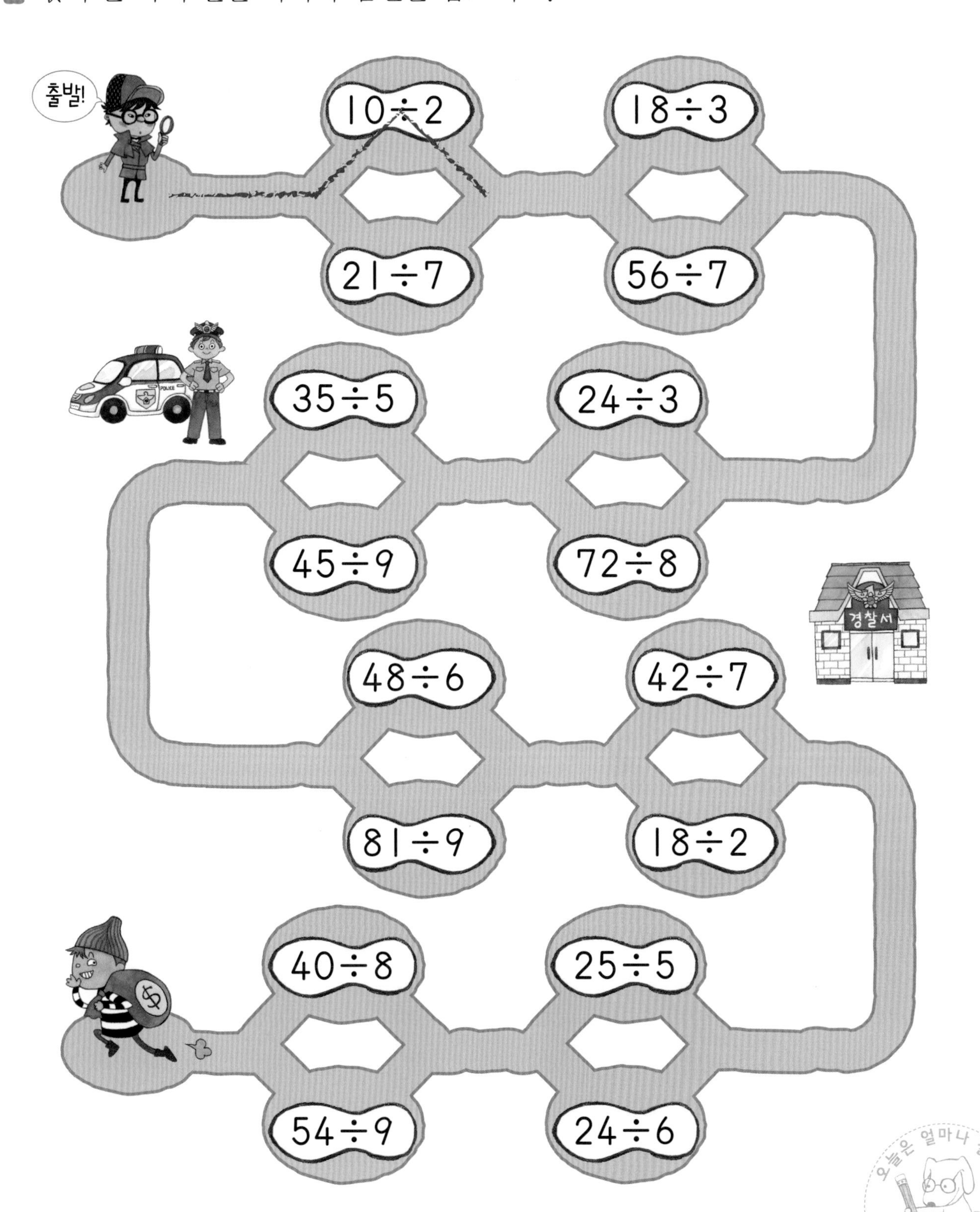

오늘은 얼마나 잘했을까요?
칭찬 붙임 딱지를 붙여 주세요!

C01 나눗셈구구

학습관리표

일 자			소요 시간	틀린 문항 수	확인
① 일차	월	일	:		
② 일차	월	일	:		
③ 일차	월	일	:		
④ 일차	월	일	:		
⑤ 일차	월	일	:		

3 주

1 일차

성냥개비 셈

나눗셈을 하여 알맞은 성냥개비 수를 써넣으시오.

온라인 활동지

0 1 2 3 4 5 6 7 8 9

보기

14 ÷ 7 = 2

12 ÷ 2 =

16 ÷ 4 =

24 ÷ 3 = ☐☐

35 ÷ 5 = ☐☐

45 ÷ 9 = ☐☐

72 ÷ 8 = ☐☐

안에서 성냥개비 1**개를 더해야** 할 곳을 표시하고, 올바른 식을 쓰시오.

온라인 활동지

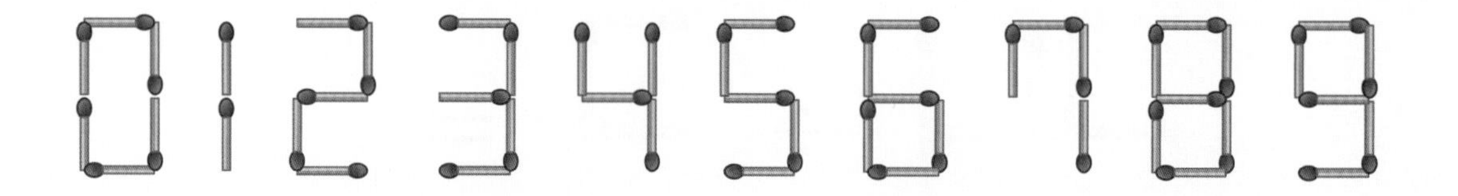

보기

5 ÷ 3 = 2 → 6 ÷ 3 = 2

식 → 6 ÷ 3 = 2

18 ÷ 2 = 5

18÷2=□

식 →

35 ÷ 4 = 9

□÷4=9

식 →

91 ÷ 9 = 9

식 ➡ ____________

32 ÷ 6 = 4

식 ➡ ____________

63 ÷ 5 = 7

식 ➡ ____________

40 ÷ 6 = 8

식 ➡ ____________

오늘은 얼마나 잘했을까요?
칭찬 붙임 딱지를
붙여 주세요!

2 일차

식 만들기

□ 안에 알맞은 숫자 카드를 넣어 식을 완성하시오.

온라인 활동지

곱셈식 완성하기

$4 \times 3 = 12$

나눗셈식 완성하기

$12 \div 4 = 3$

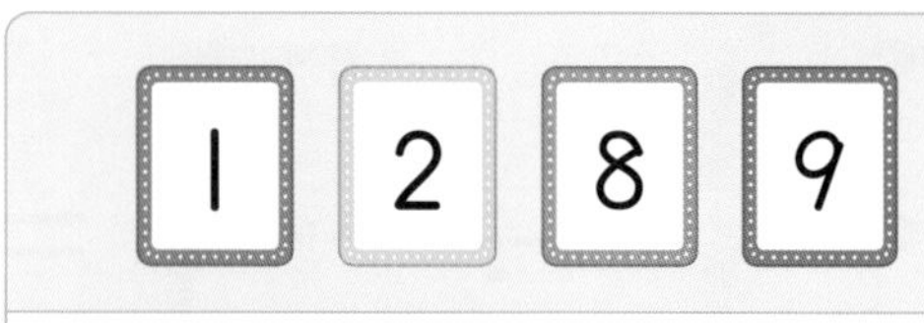

곱셈식 완성하기

$2 \times 9 = 18$

나눗셈식 완성하기

$\square\square \div \square = \square$

2 4 7 8

곱셈식 완성하기

$\square \times \square = \square\square$

나눗셈식 완성하기

$\square\square \div \square = \square$

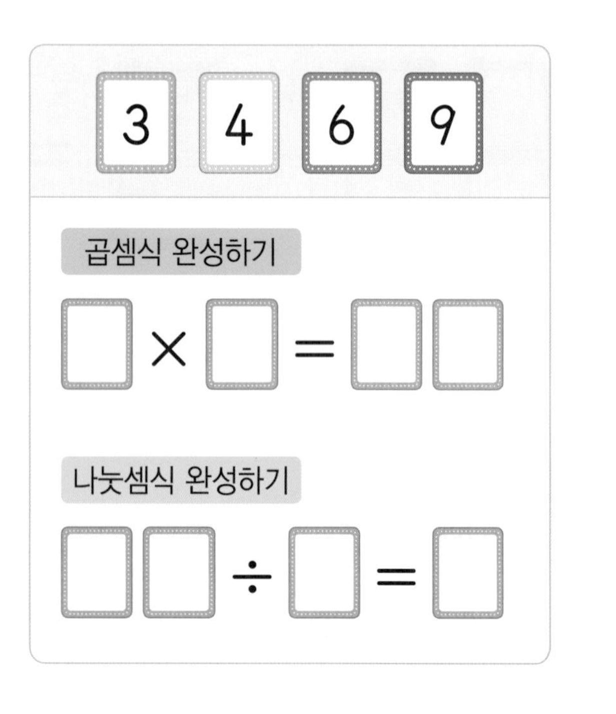

4 5 6 9

곱셈식 완성하기

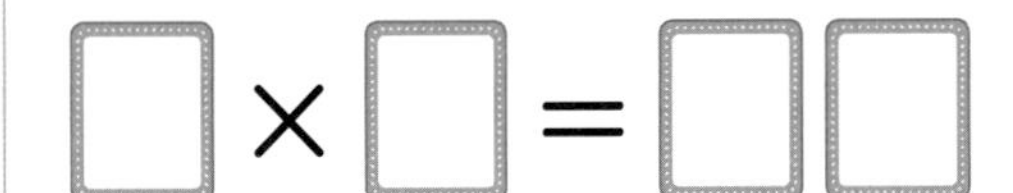

나눗셈식 완성하기

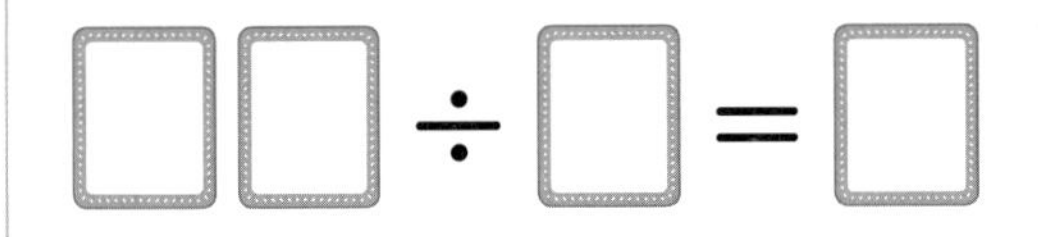

3 6 7 9

곱셈식 완성하기

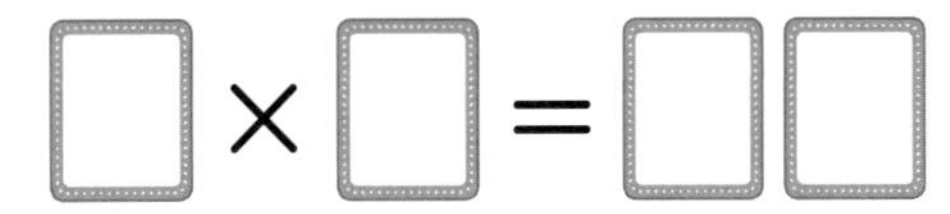

나눗셈식 완성하기

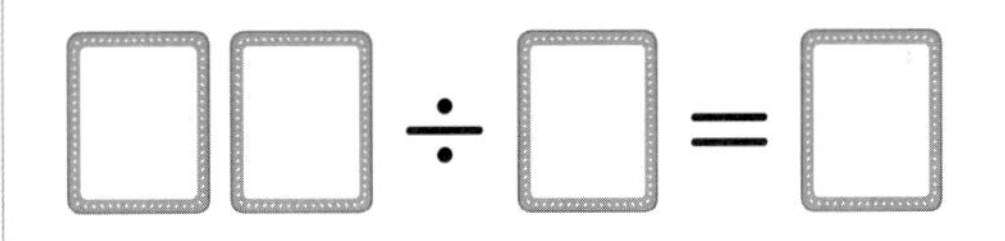

5 6 7 8

곱셈식 완성하기

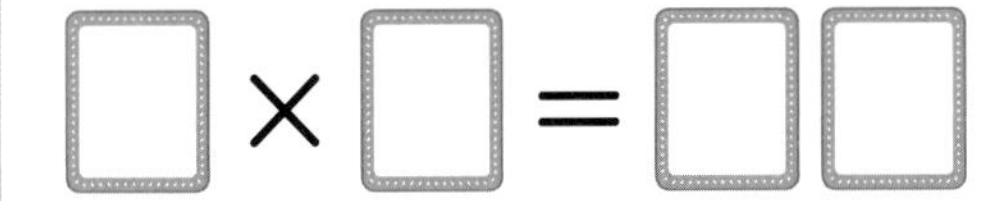

나눗셈식 완성하기

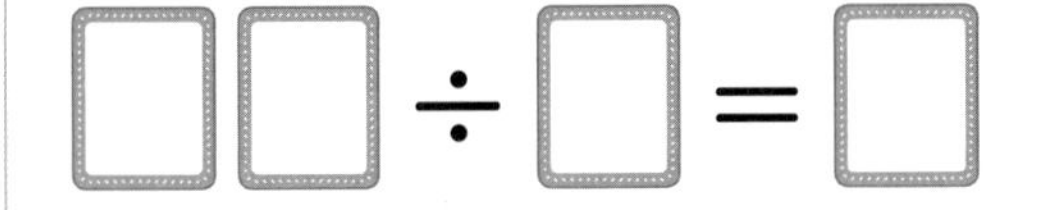

2 4 6 7

곱셈식 완성하기

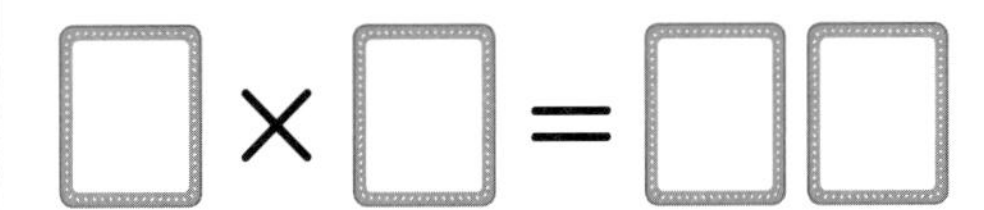

나눗셈식 완성하기

□□ ÷ □ = □

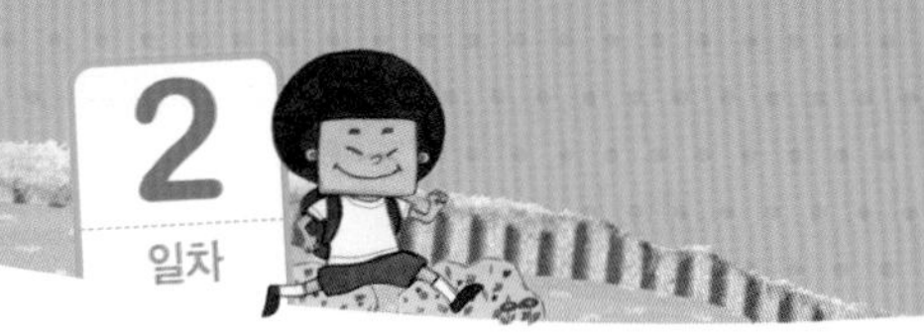

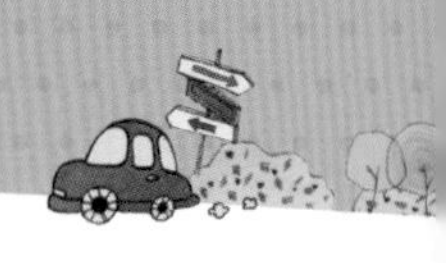

올바른 식이 되도록 ▢ 카드와 바꾸어야 하는 카드 **1장**을 찾아 색칠하시오.

온라인 활동지

보기

1 3 ÷ 8 = 6 ➡ 18÷3=6

5 5 ÷ 4 = 9 ➡

3 9 ÷ 4 = 6 ➡

7 9 ÷ 2 = 8 ➡

6 2 ÷ 7 = 4 ➡

5 8 ÷ 6 = 7 ➡ ______________

6 7 ÷ 9 = 3 ➡ ______________

4 8 ÷ 7 = 2 ➡ ______________

4 4 ÷ 2 = 6 ➡ ______________

4 5 ÷ 9 = 6 ➡ ______________

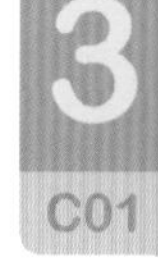

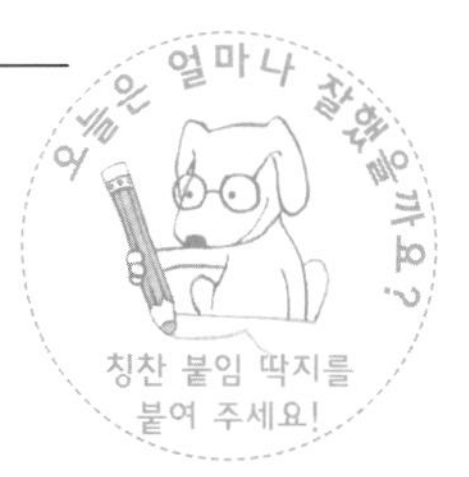

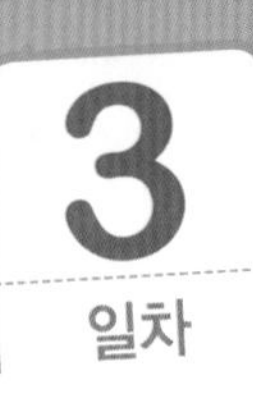

3 일차 도형이 나타내는 수

양팔 저울이 수평을 이룰 때, 구슬의 무게를 구하시오.

보기

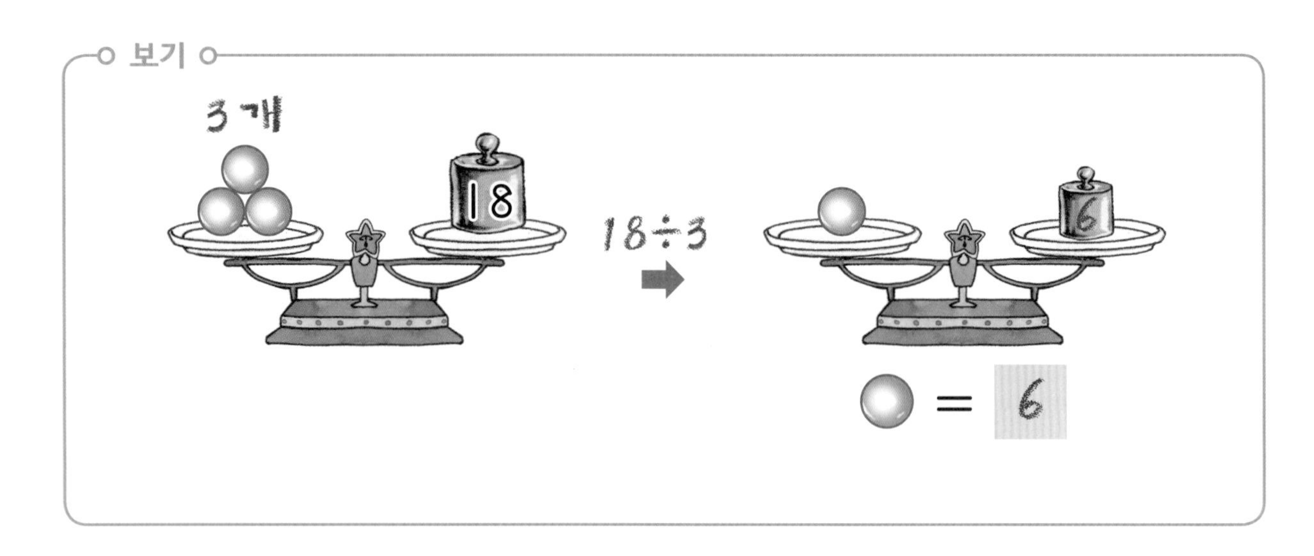

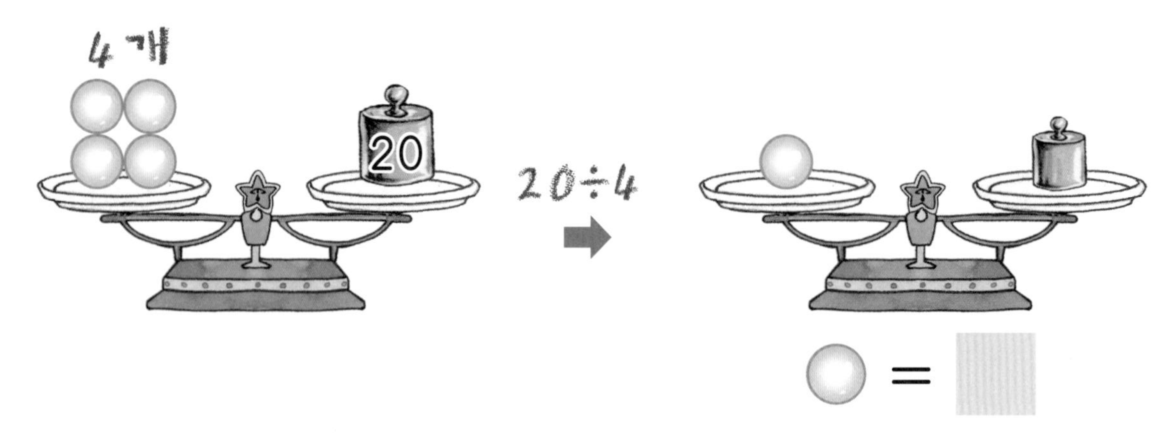

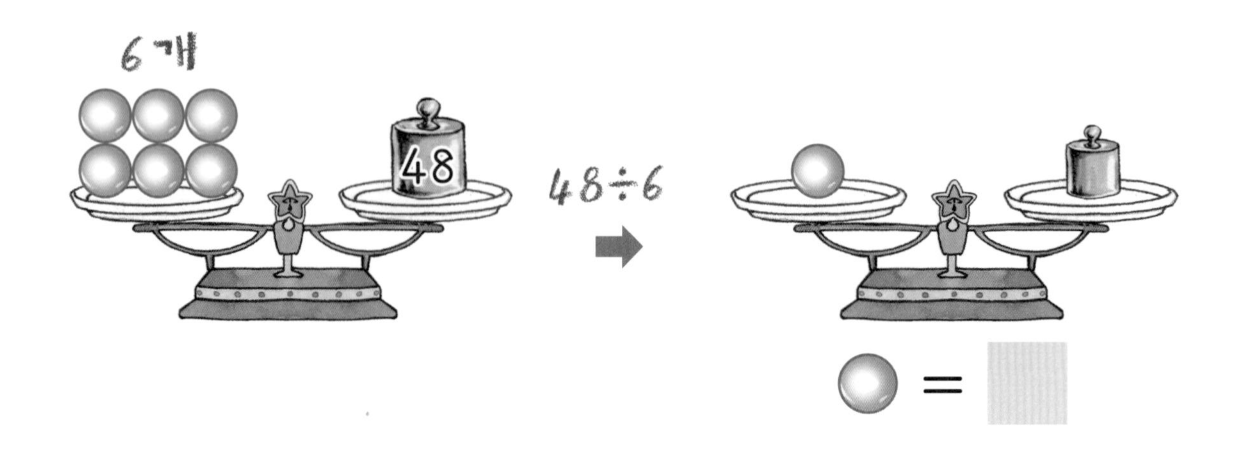

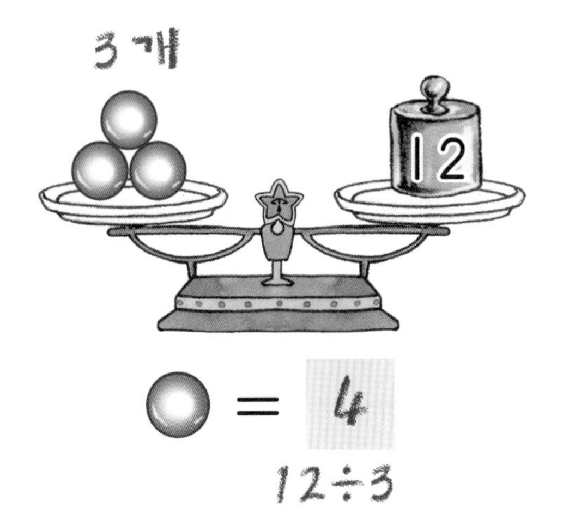

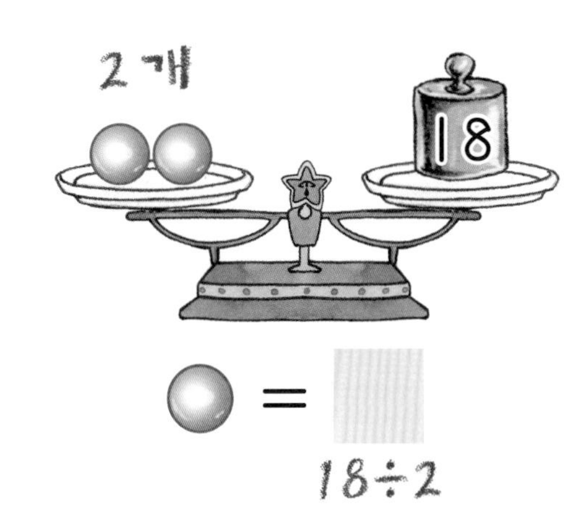

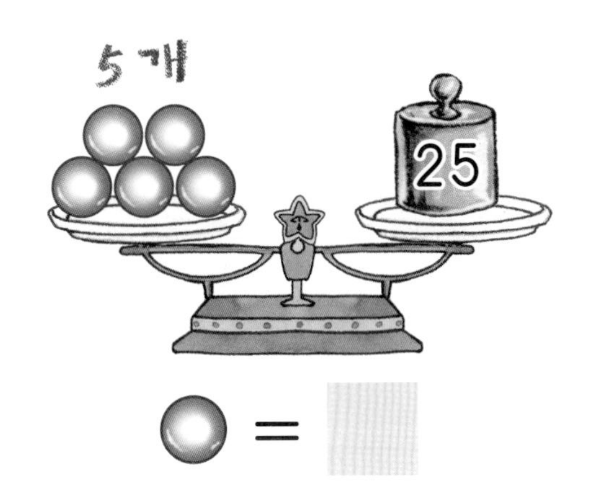

3
C01

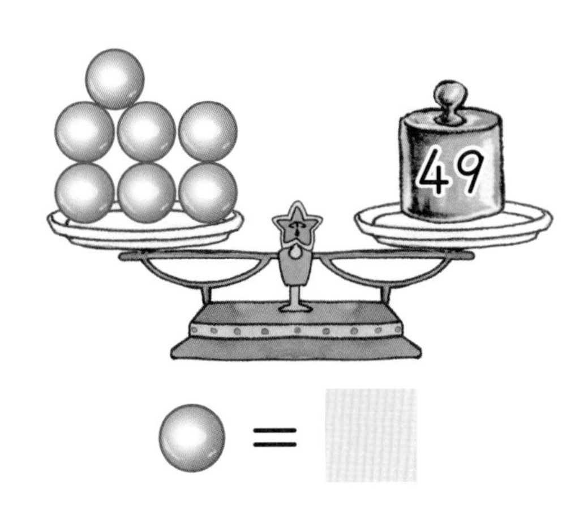

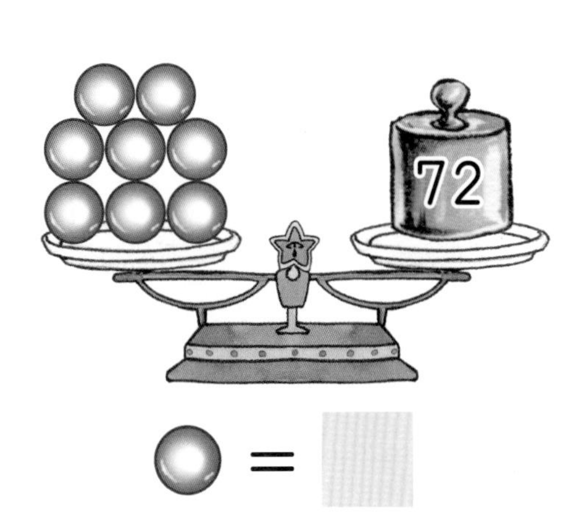

도형이 나타내는 수를 ▒ 안에 써넣으시오.

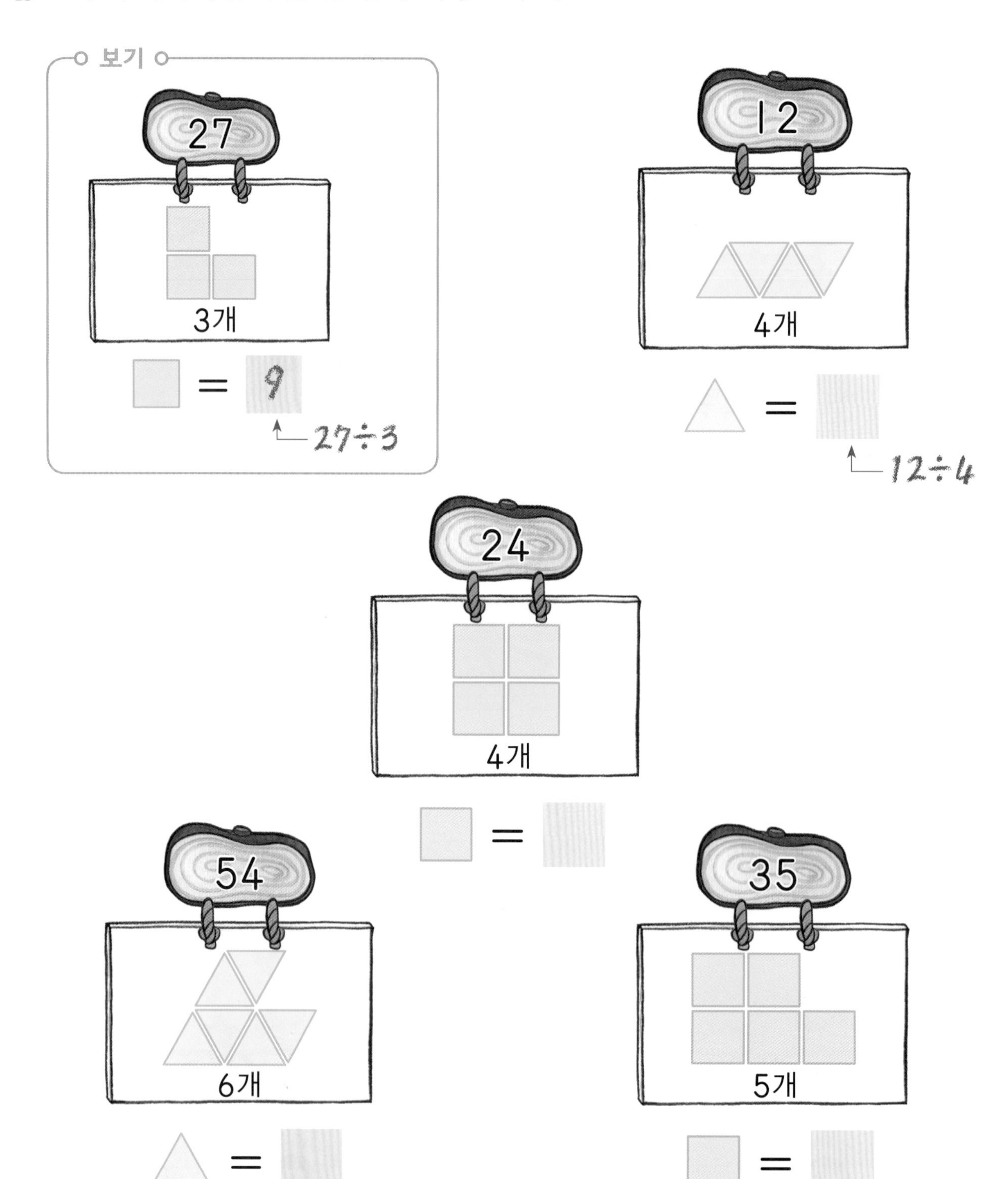

일

✿ 도형이 나타내는 수에 맞게 ☐ 안에 도형을 그려 보시오.

보기

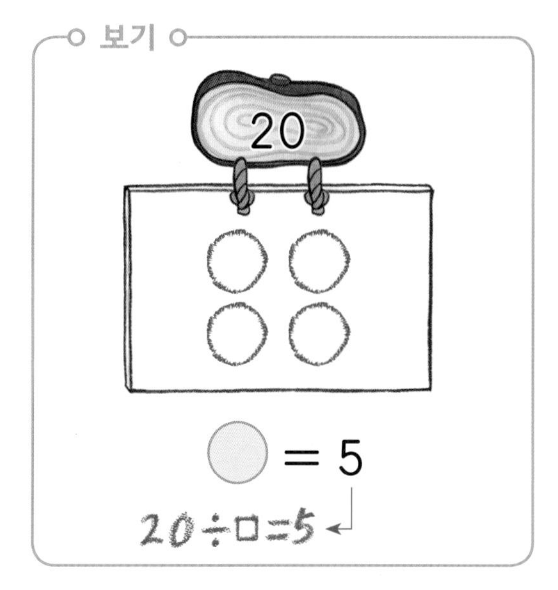

4 일차 벌레먹은 셈

■ 안에 알맞은 숫자를 써넣으시오.

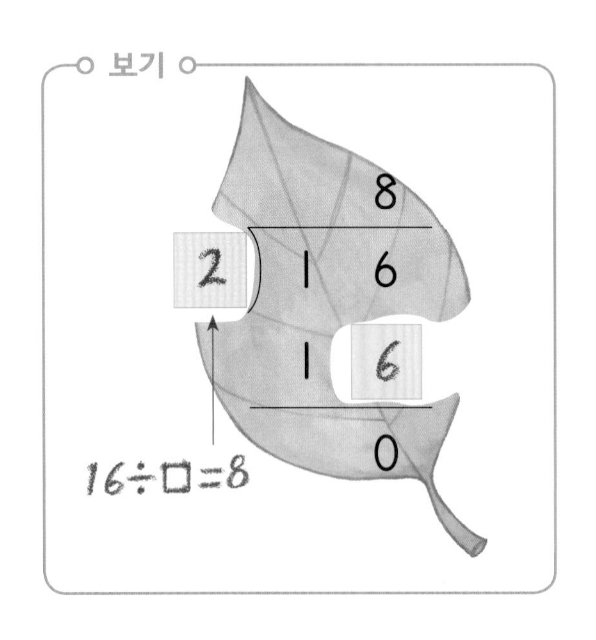

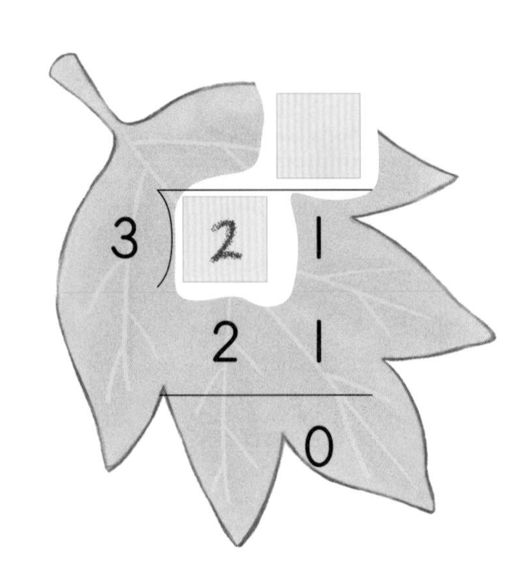

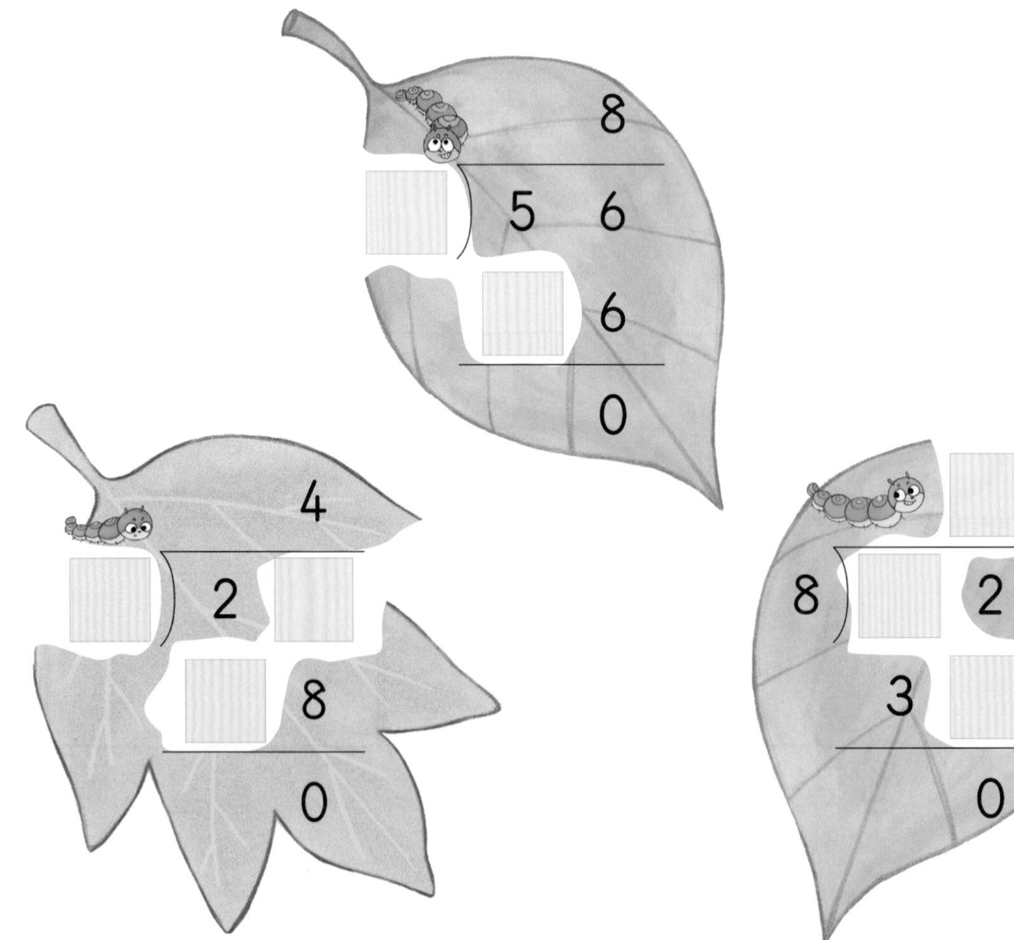

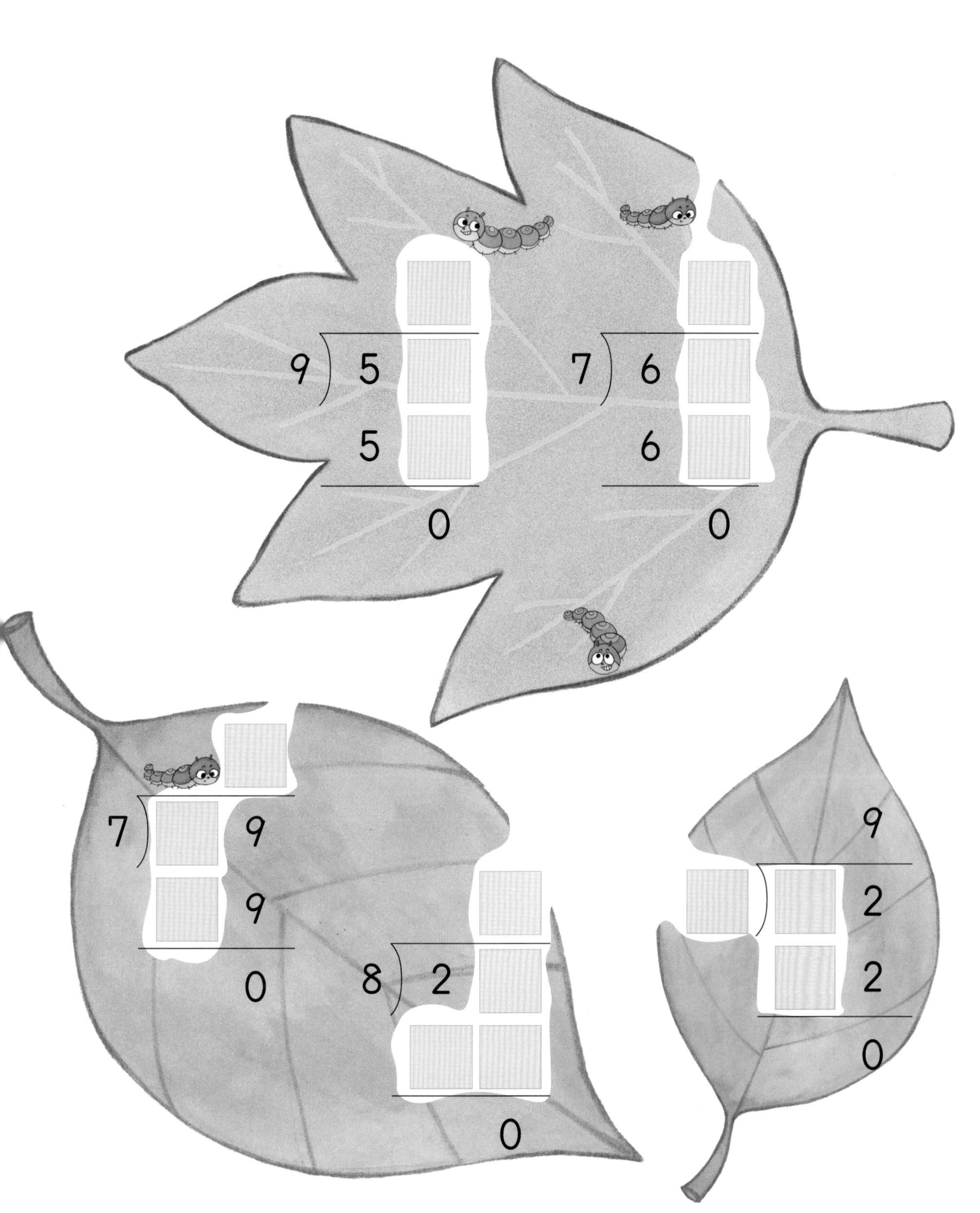

3
C01

안에 알맞은 숫자를 써넣으시오. (단, 같은 모양은 같은 숫자를 나타냅니다.)

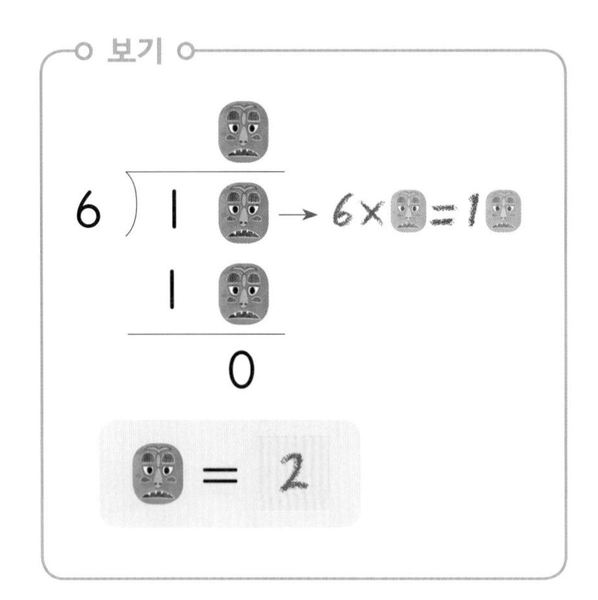

3) 1 □ → 3×□=1□

1 □

0

□ =

6) 2 □

2 □

0

□ =

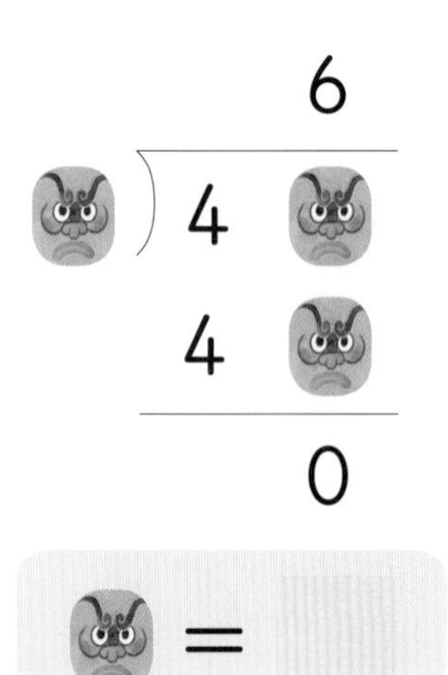

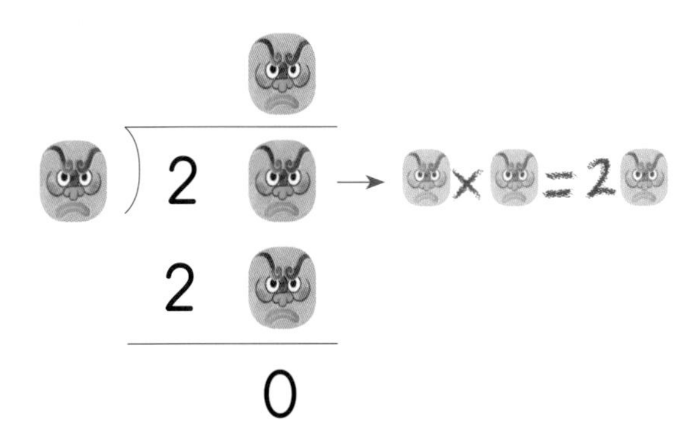
2
2
0

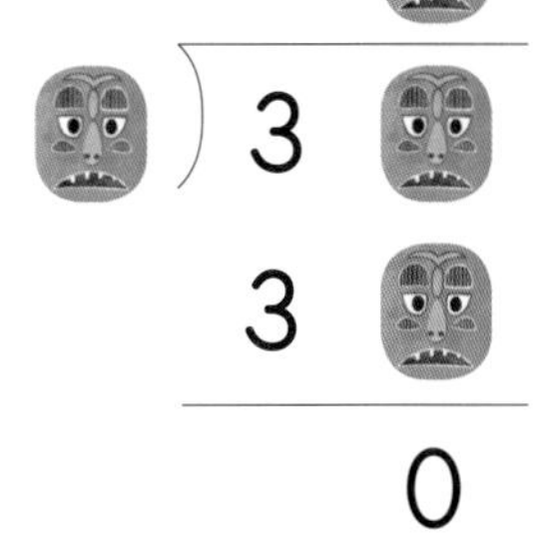
3
3
0

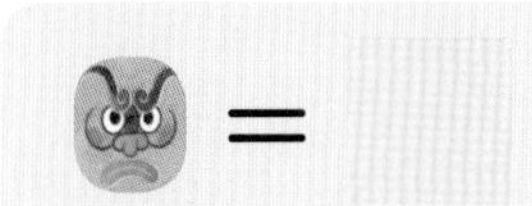
=

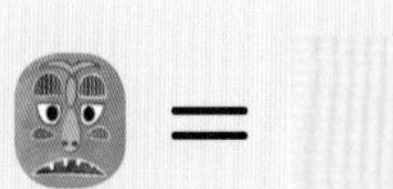
=

1
1
0
6
6
0

= , =

= , =

오늘은 얼마나 잘했을까요?
칭찬 붙임 딱지를
붙여 주세요!

화살표 약속

화살표 약속에 따라 ▒ 안에 알맞은 수를 써넣으시오.

화살표 약속

—▲→ ÷2

—●→ ÷3

12 —▲→ ▒ —●→ ▒

24 —●→ ▒ —▲→ ▒

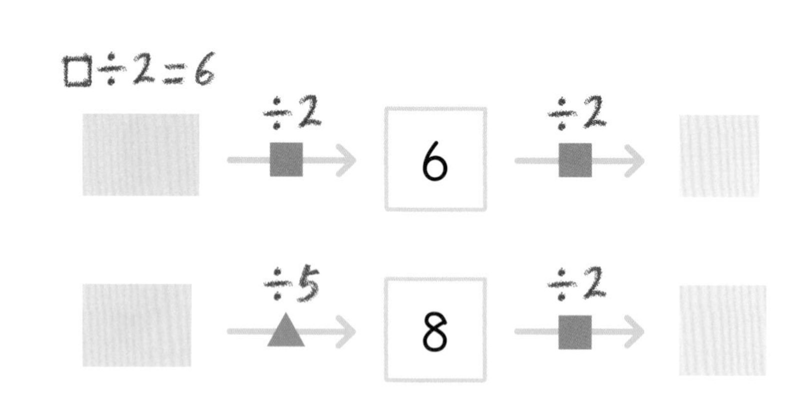

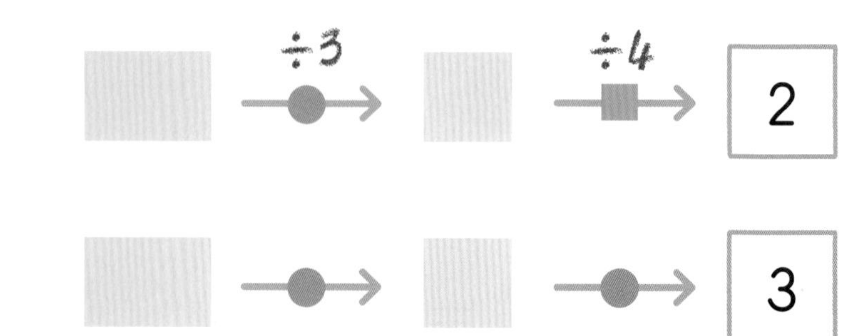

화살표 약속을 찾아 ▒ 안에 알맞은 수를 써넣으시오.

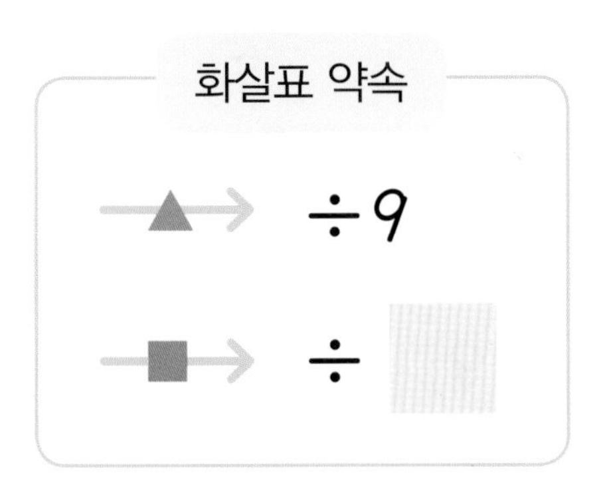

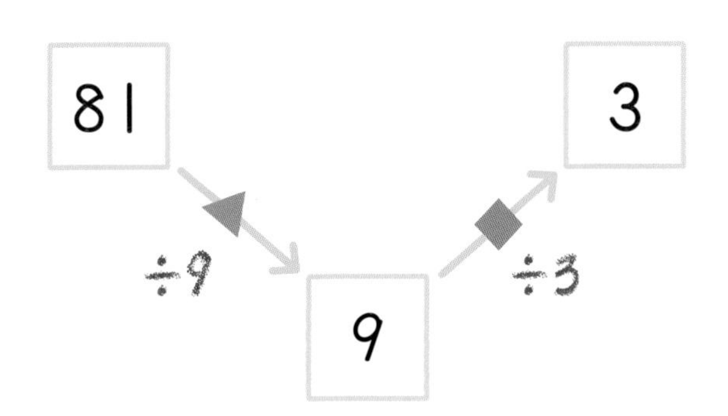

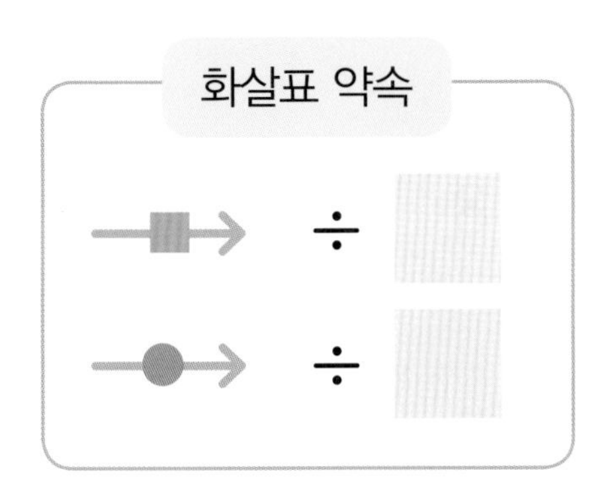

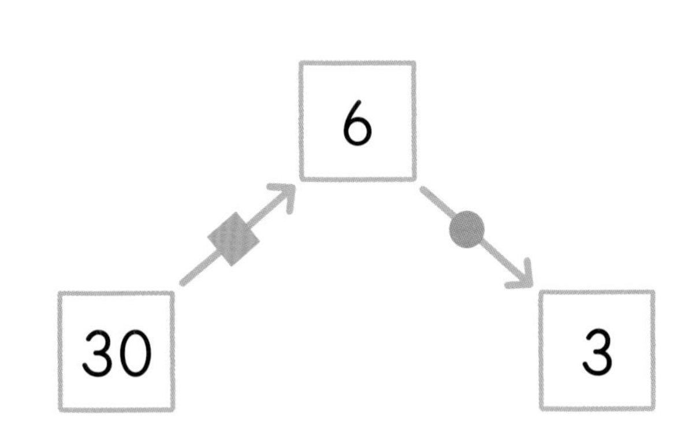

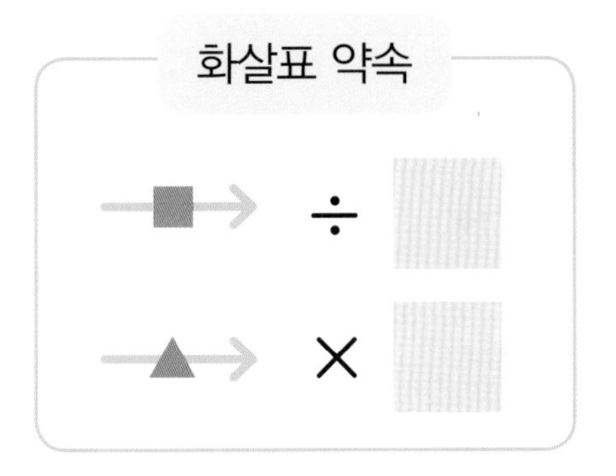

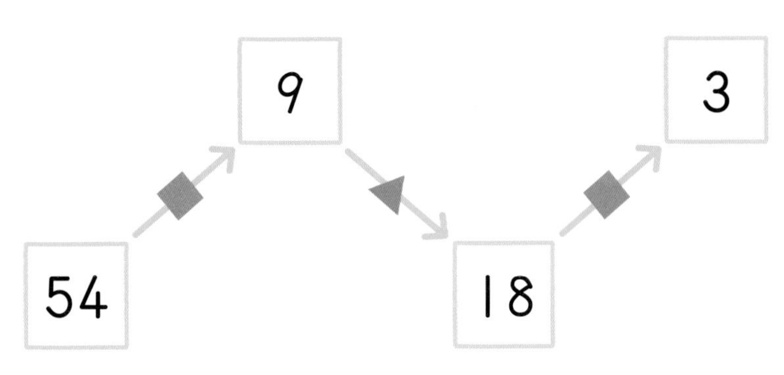

3
C01

화살표 위에 알맞은 도형을 그려 넣으시오.

18 →●→ 6 →▲(÷6)→ 1

54 →□→ 9 →●→ 3

40 →●→ 8 →□→ 2

20 →▲→ 5 →□→ 1

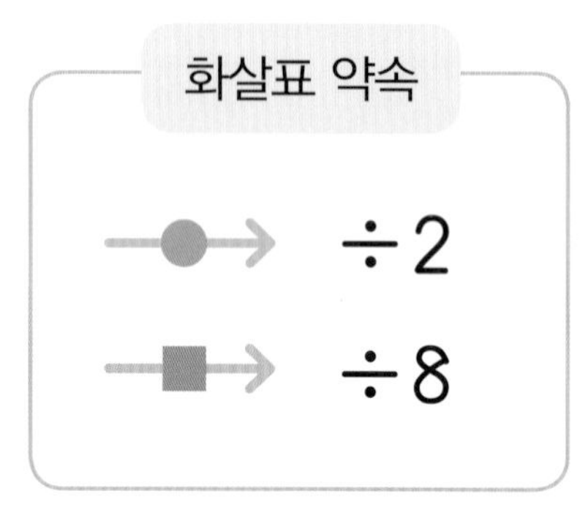

32 →□→ 4 →●→ 2

64 →□→ 8 →□→ 4

화살표 위에 알맞은 도형을 그리고, ▒ 안에 알맞은 수를 써넣으시오.

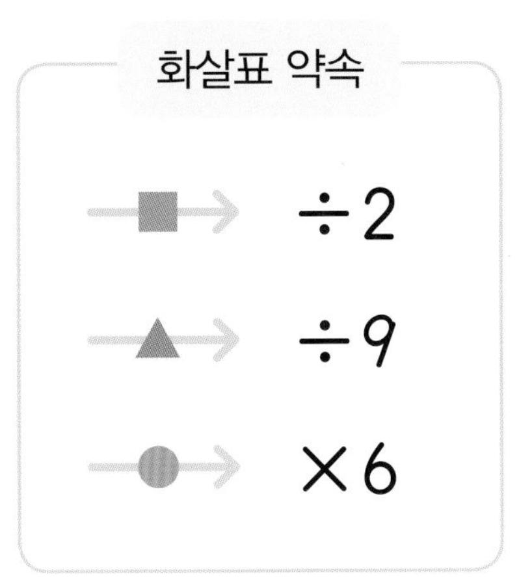

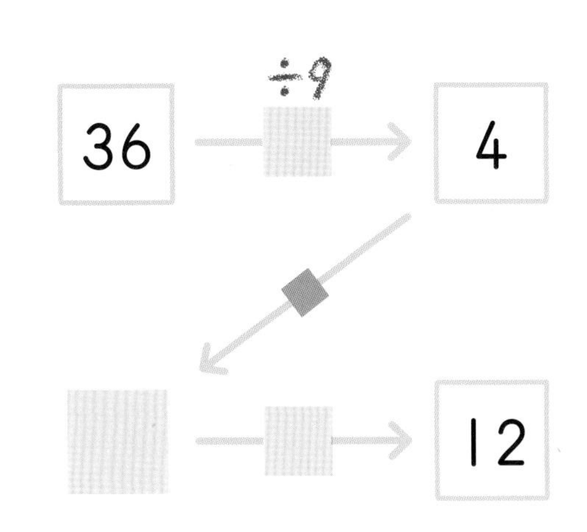

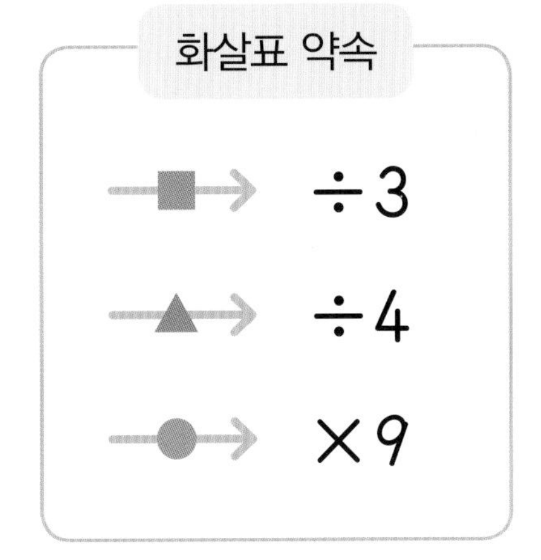

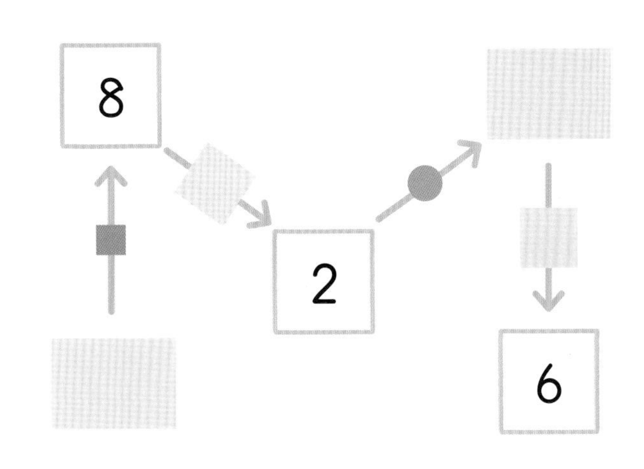

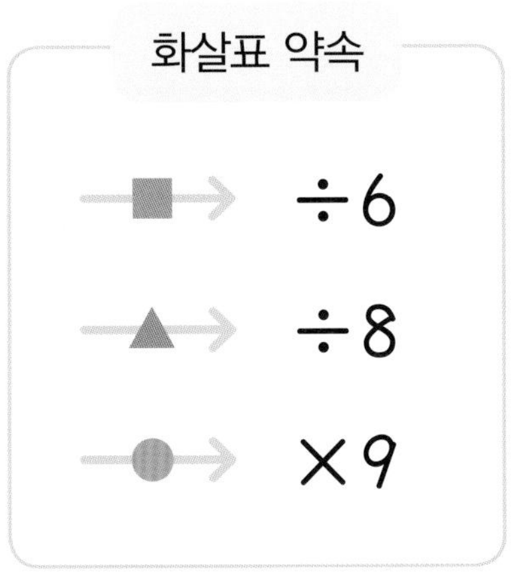

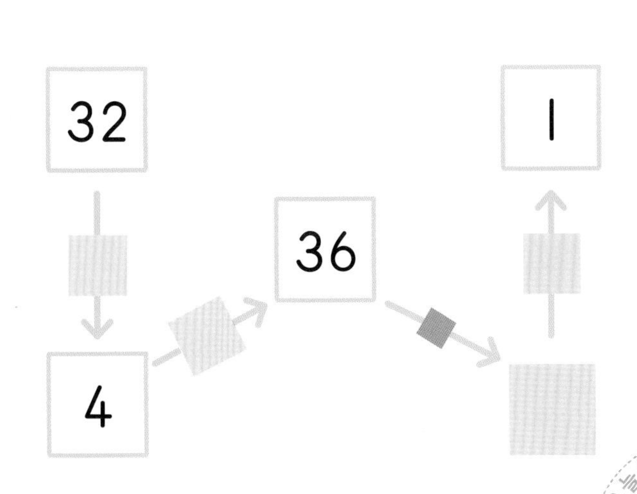

오늘은 얼마나 잘했을까요?
칭찬 붙임 딱지를 붙여 주세요!

C01
나눗셈구구

학습관리표

일 자			소요 시간	틀린 문항 수	확인
❶ 일차	월	일	:		
❷ 일차	월	일	:		
❸ 일차	월	일	:		
❹ 일차	월	일	:		
❺ 일차	월	일	:		

4 주

성냥개비 퍼즐

🌷 ▒ 안에서 성냥개비 1**개를 빼야** 할 곳을 찾아 ╳표 하고, 올바른 식을 쓰시오.

온라인 활동지

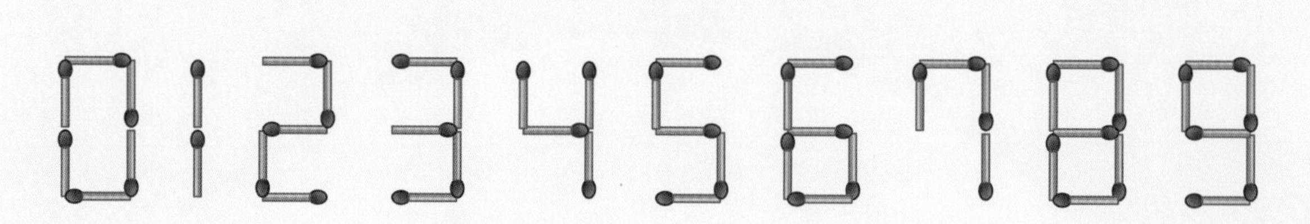

보기

18 ÷ 5 = 2 ➡ 1~~8~~ ÷ 5 = 2

식 ➡ 10÷5=2

40 ÷ 8 = 6

40÷8=□

식 ➡ ______________

24 ÷ 9 = 8

24÷□=8

식 ➡ ______________

$42 \div 8 = 7$

식 ➡ ______________

$83 \div 7 = 9$

식 ➡ ______________

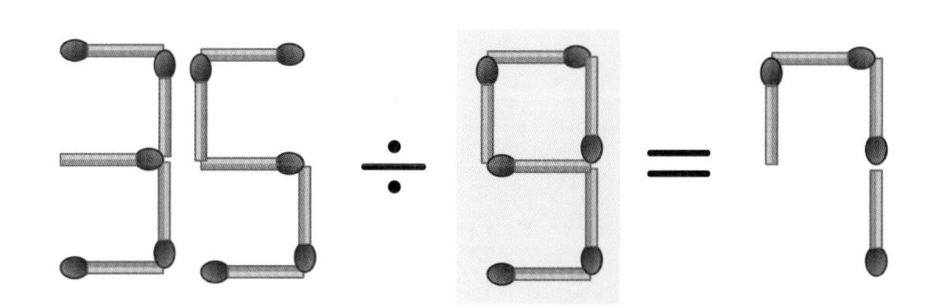

식 ➡ ______________

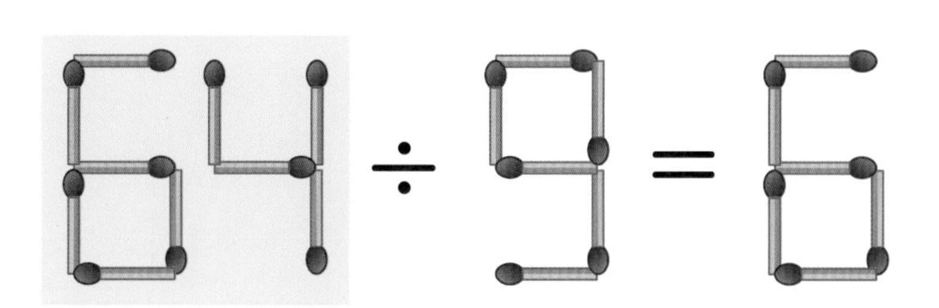

식 ➡ ______________

안에서 성냥개비 1**개를 옮겨야** 할 곳을 찾아 표시하고, 올바른 식을 쓰시오.

온라인 활동지

0123456789

보기

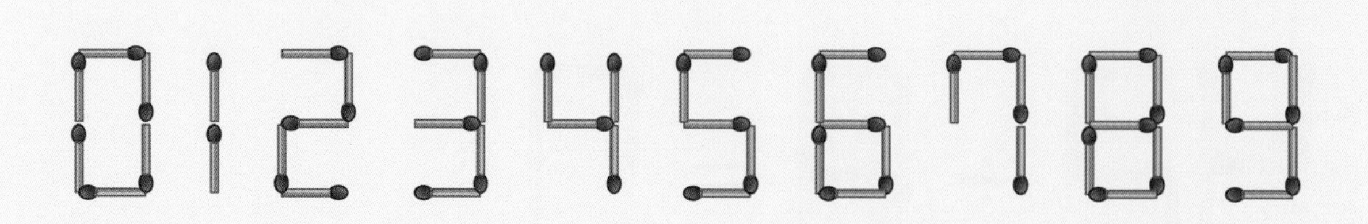

식 ➡ 16÷8=2

21÷7=2

21÷7=□

식 ➡

42÷9=7

42÷□=7

식 ➡

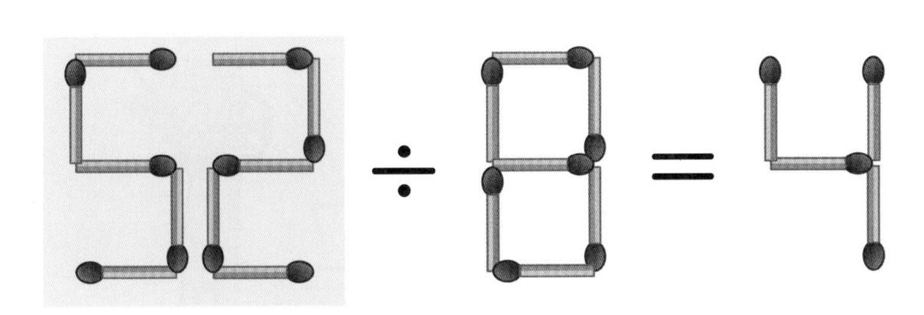

식 ➡ ____________

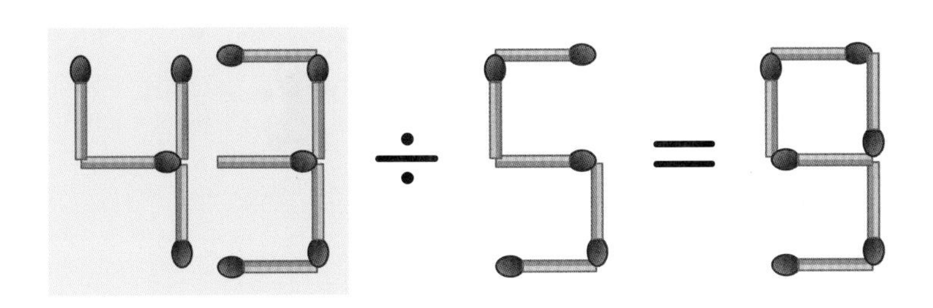

식 ➡ ____________

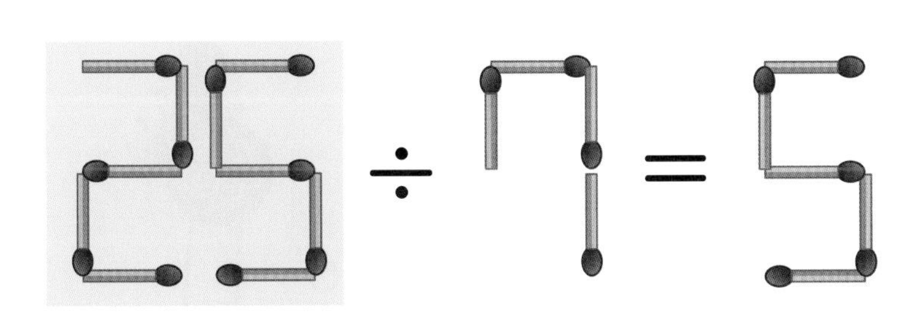

식 ➡ ____________

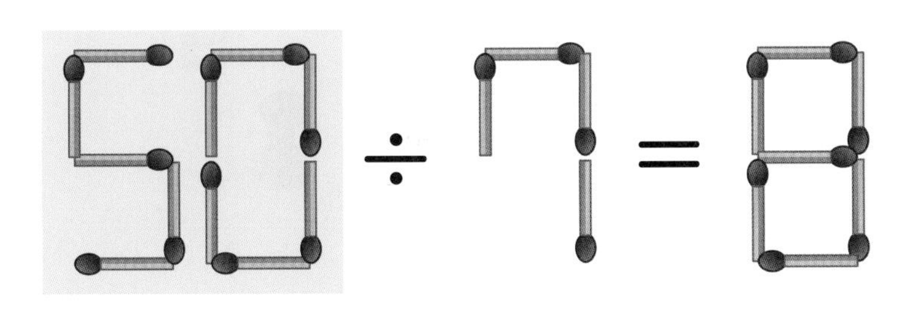

식 ➡ ____________

길 퍼즐

사다리타기를 하여 ▢ 안에 알맞은 수를 써넣으시오.

보기

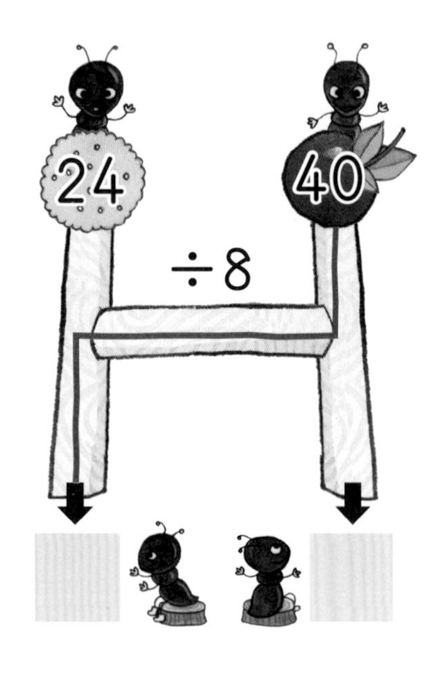

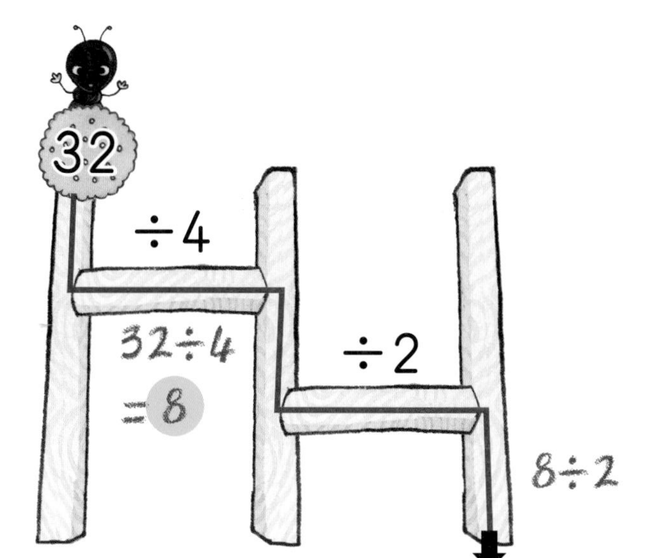

32
÷4
÷2
32÷4
=8
8÷2

18
÷2
÷3
18÷2
=9

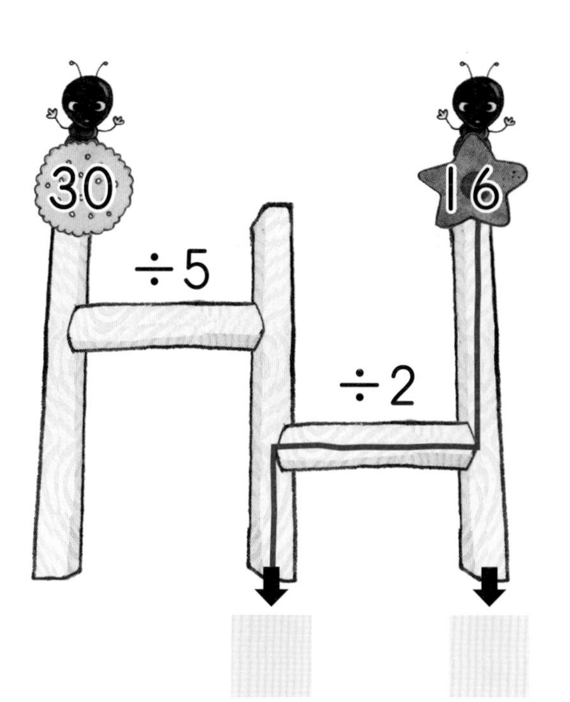

30
16
÷5
÷2

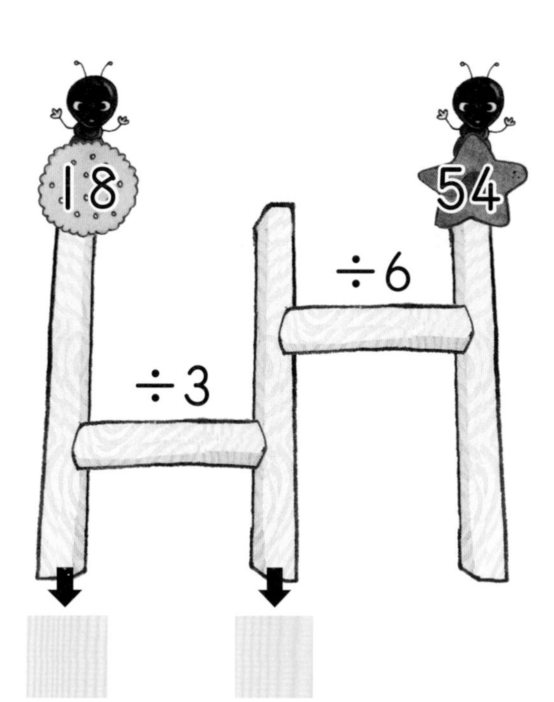

18
54
÷6
÷3

◯에서 시작하여 올바른 나눗셈식이 되도록 선으로 연결하시오.

보기

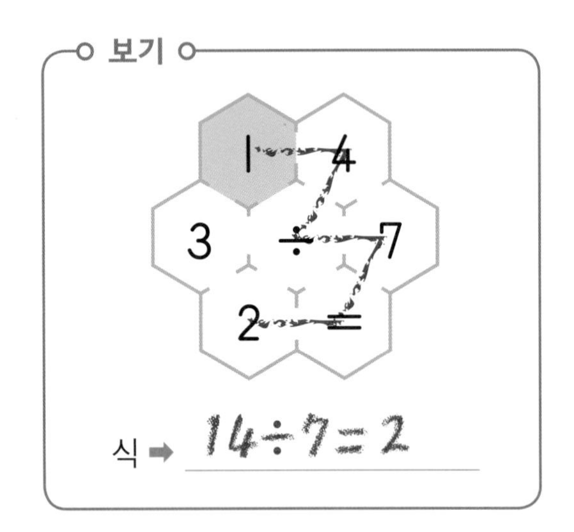

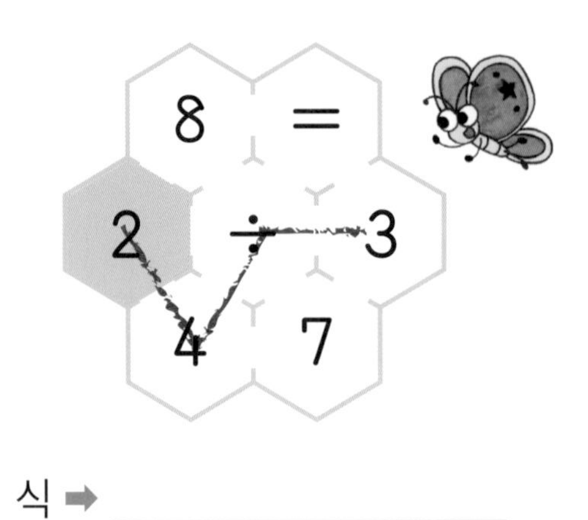

식 ➡ ______

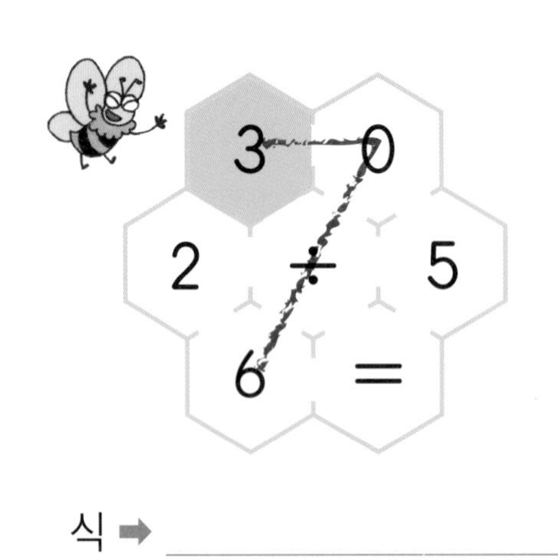

식 ➡ ______

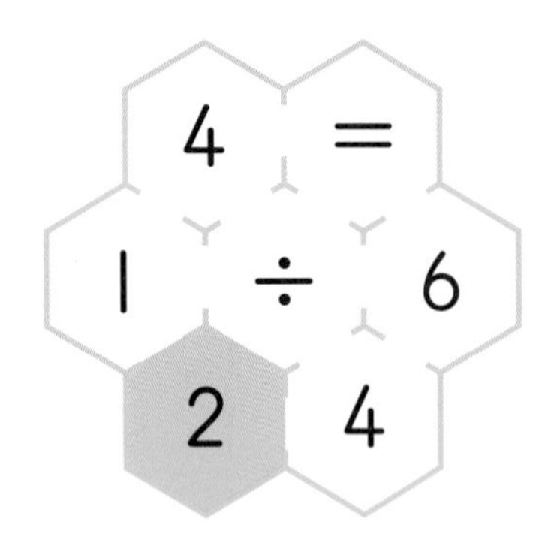

식 ➡ ______

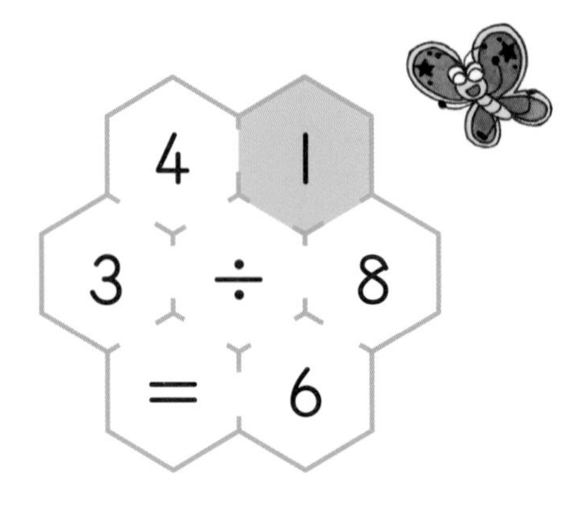

식 ➡ ______

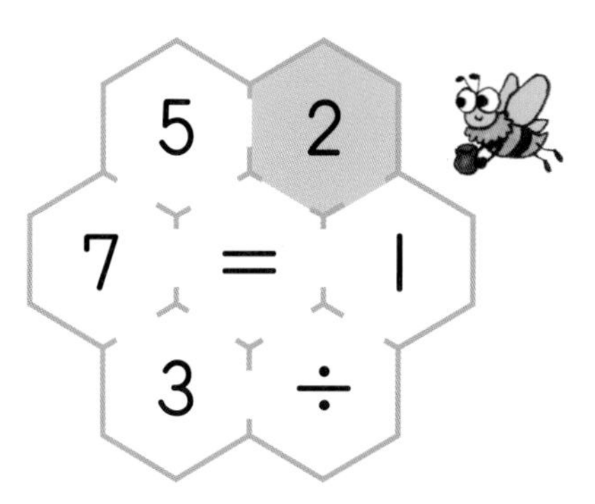

식 ➡ ______________________

4 =
÷ 2 9
6 3

식 ➡ ______________________

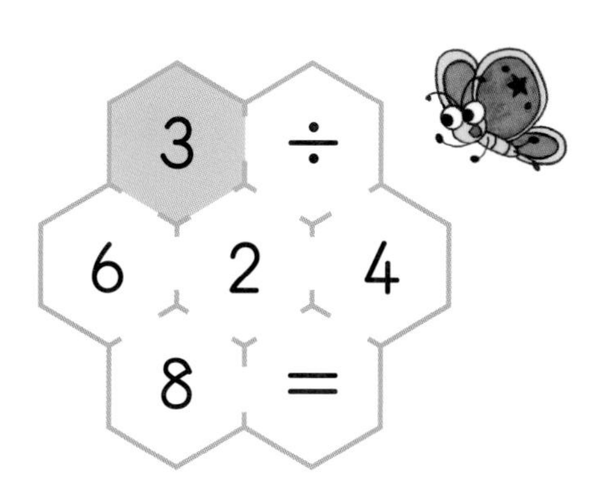

식 ➡ ______________________

= 4
7 6 2
5 ÷

식 ➡ ______________________

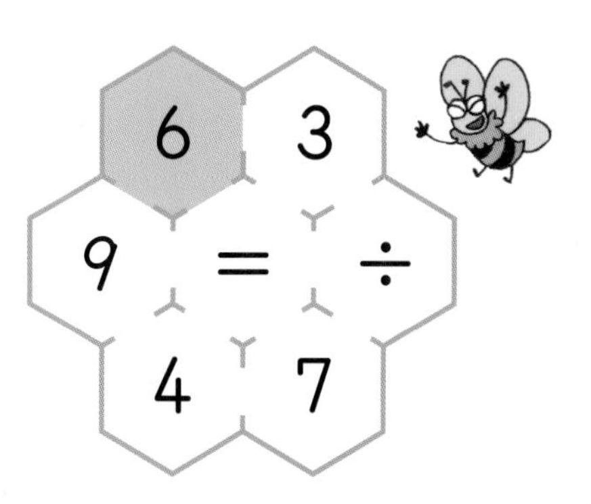

식 ➡ ______________________

오늘은 얼마나 잘했을까요?
칭찬 붙임 딱지를 붙여 주세요!

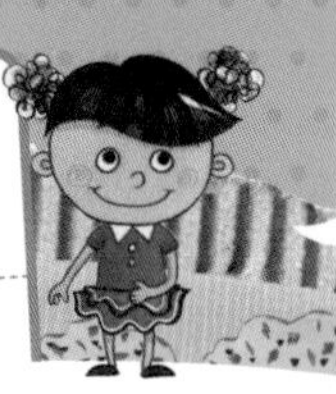

3 일차 몫이 같은 수

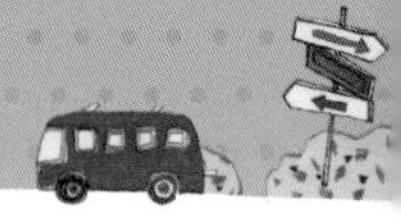

두 수의 몫이 주어진 수가 되도록 선으로 연결하시오.

보기

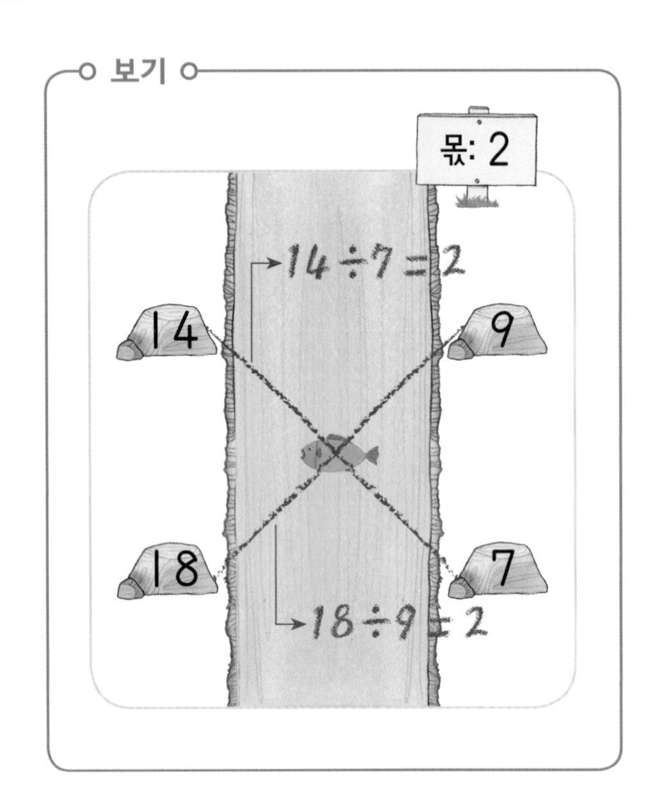

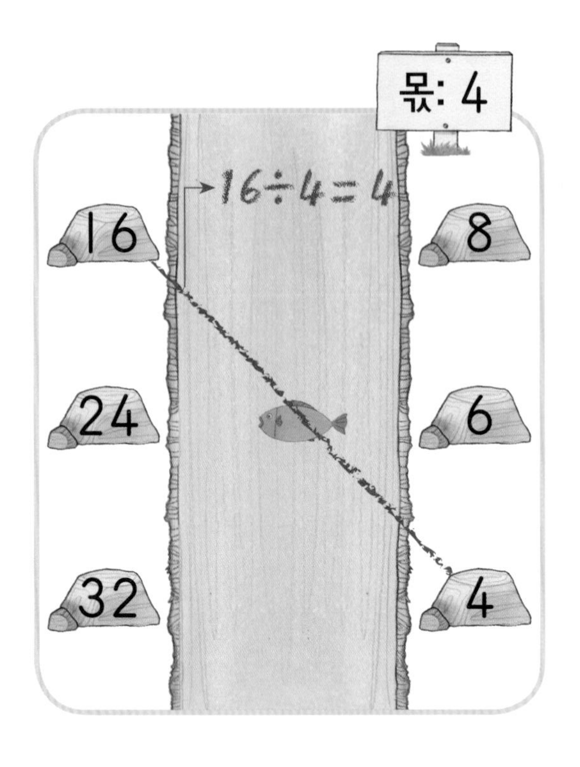

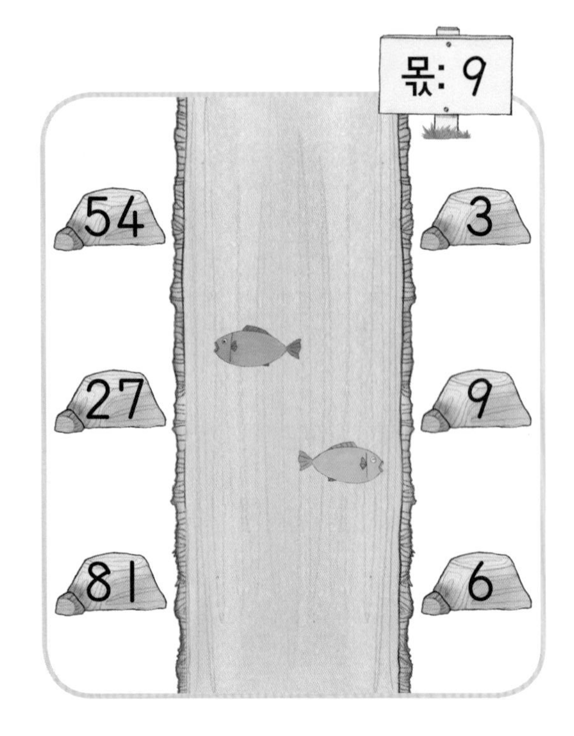

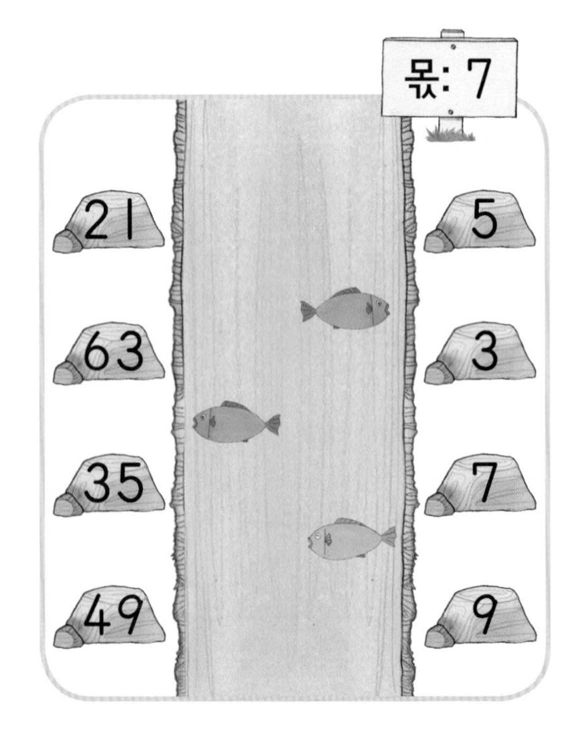

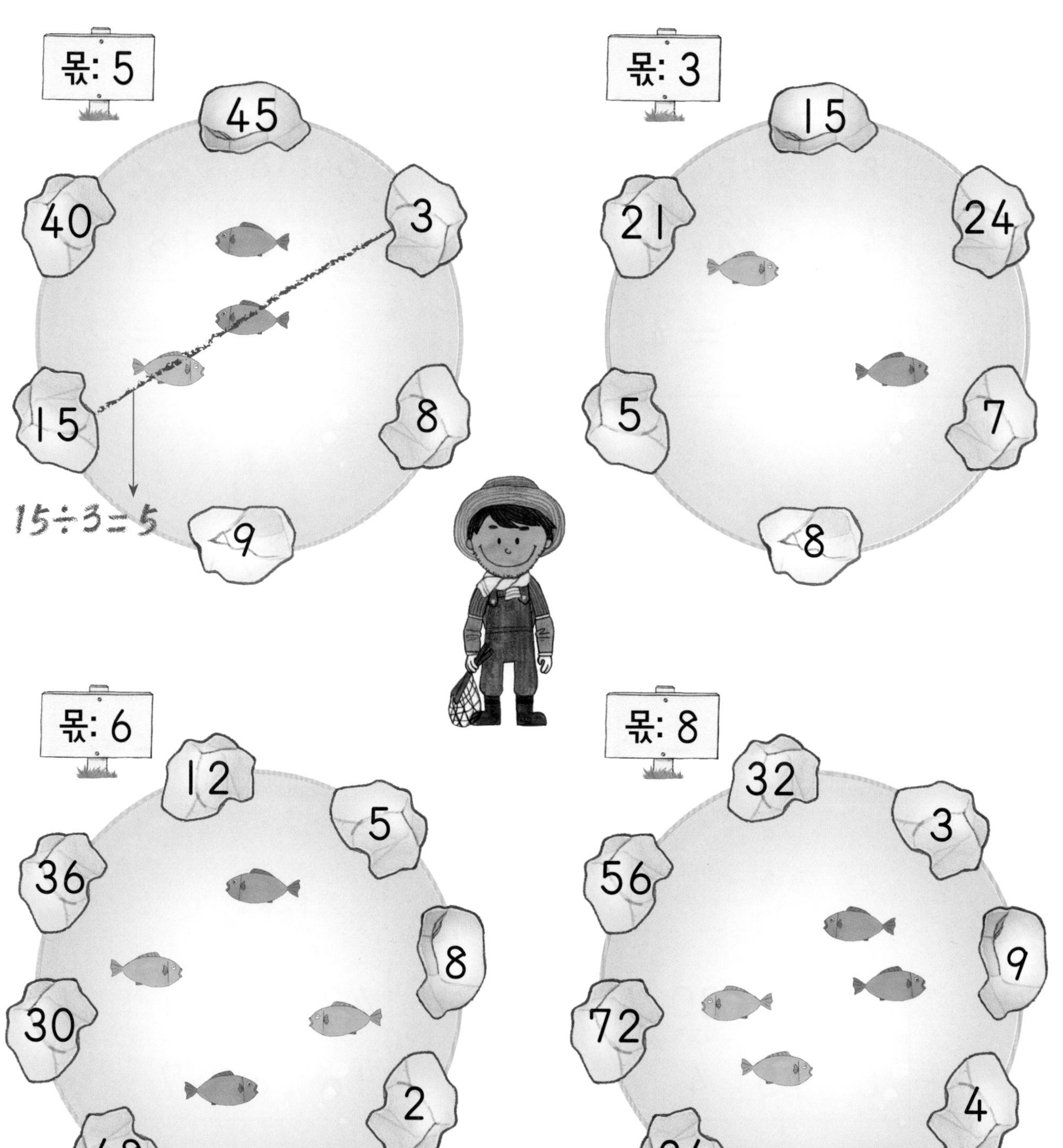

몫: 5
45
40
3
15
8
9
15÷3=5
몫: 3
15
21
24
5
7
8
몫: 6
12
5
36
8
30
2
48
6
몫: 8
32
3
56
9
72
4
24
7

두 수를 찾아 나눗셈식을 완성하시오.

보기

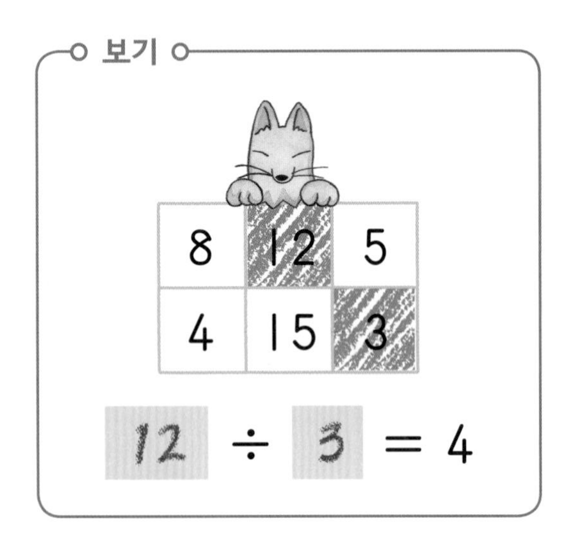

8	12	5
4	15	3

12 ÷ 3 = 4

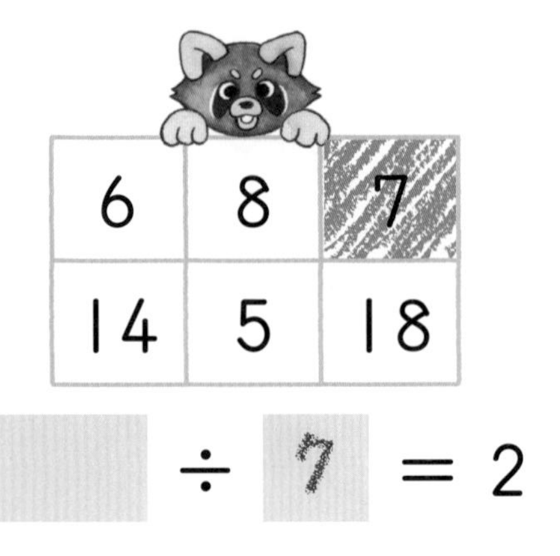

6	8	7
14	5	18

□ ÷ 7 = 2

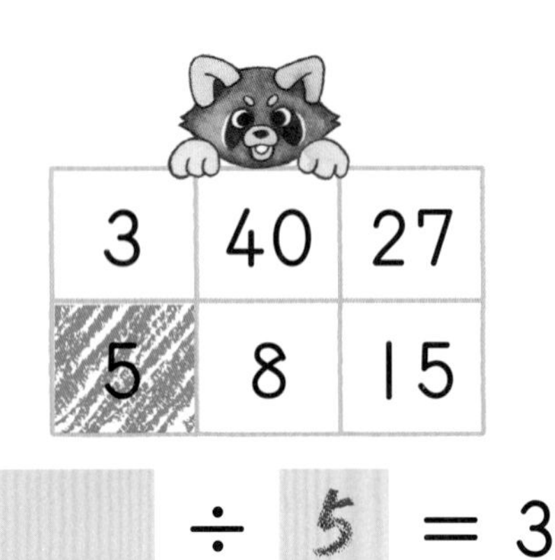

3	40	27
5	8	15

□ ÷ 5 = 3

49	56	21
9	6	3

□ ÷ 3 = 7

5	45	30
8	25	4

□ ÷ □ = 5

42	36	4
16	8	7

□ ÷ □ = 6

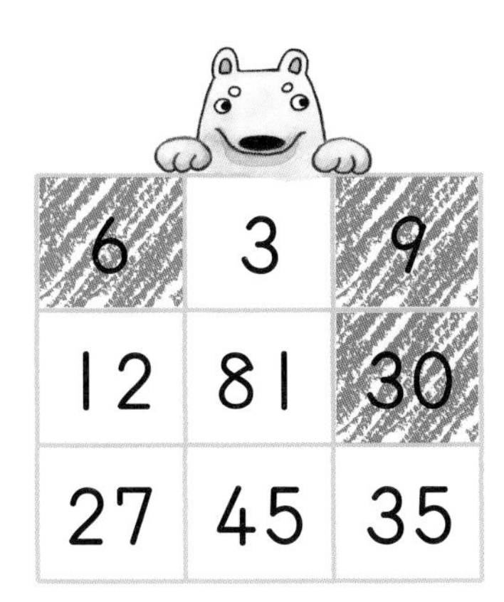

6	3	9
12	81	30
27	45	35

30 ÷ 6 = 5

□ ÷ 9 = 5

35	7	28
12	24	5
4	6	42

□ ÷ 4 = 6

□ ÷ □ = 6

6	27	9
5	56	63
72	8	40

□ ÷ □ = 8

□ ÷ □ = 8

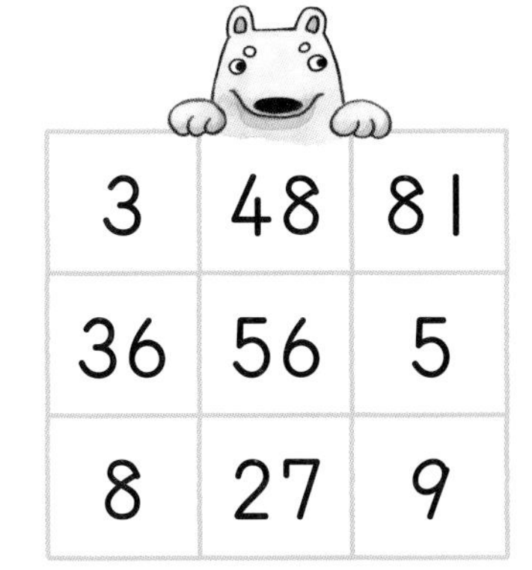

3	48	81
36	56	5
8	27	9

□ ÷ □ = 9

□ ÷ □ = 9

목표수 만들기

수 카드를 넣어 만들 수 있는 한 자리 수를 모두 찾아보시오.

온라인 활동지

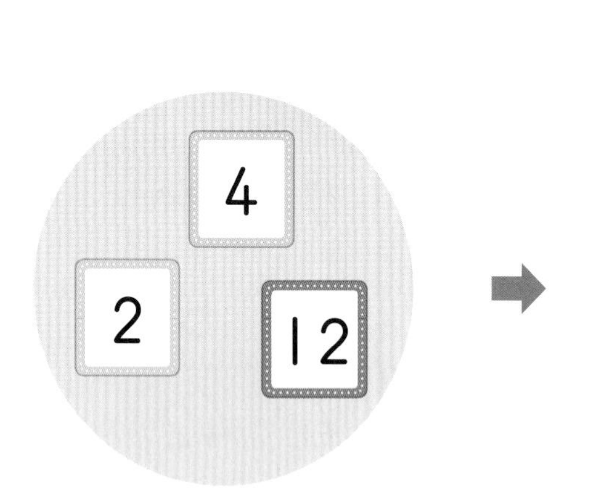

만들 수 있는 수

방법 1 $12 \div 2 = 6$

방법 2 $12 \div 4 = \square$

방법 3 $4 \div 2 = \square$

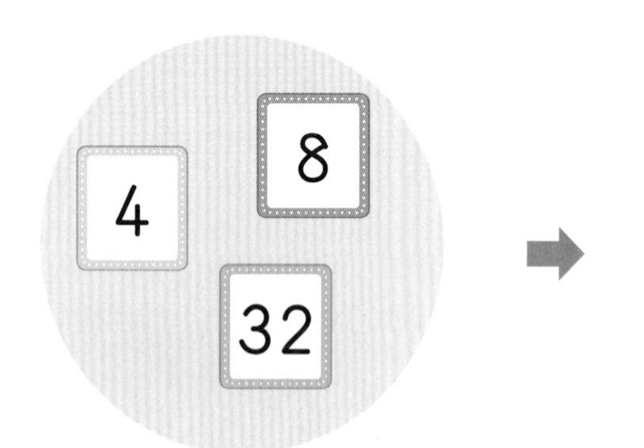

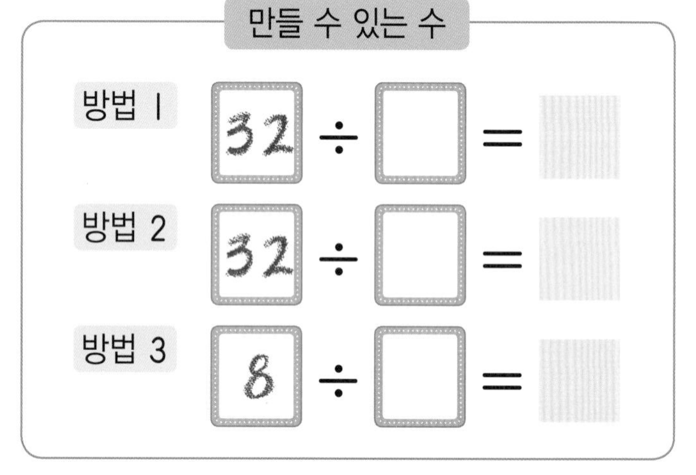

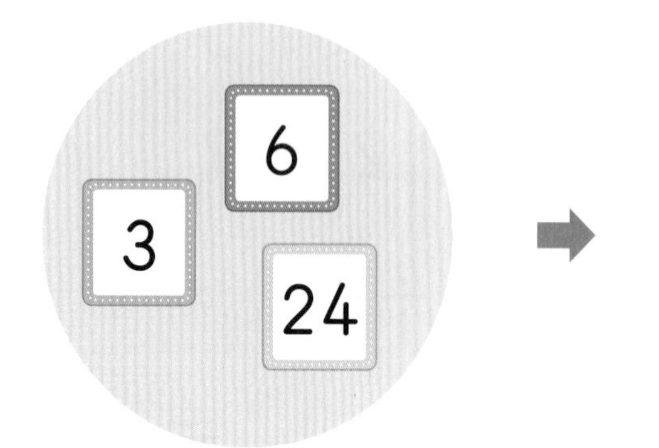

만들 수 있는 수

방법 1 $\square \div \square = \square$

방법 2 $\square \div \square = \square$

방법 3 $\square \div \square = \square$

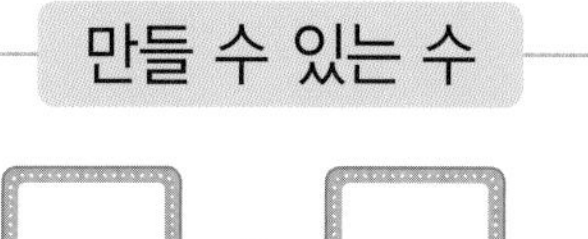

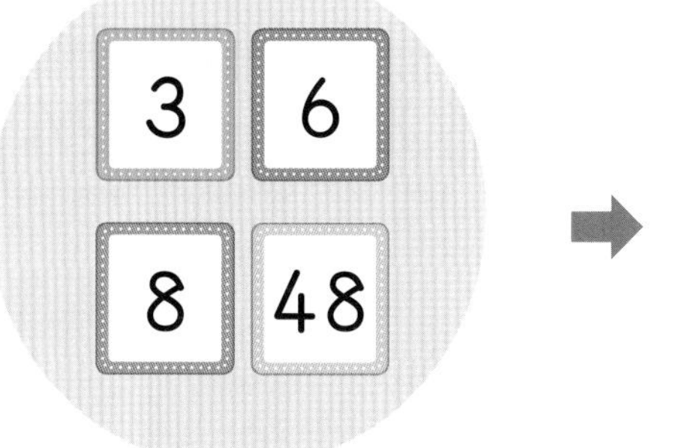

3	6
8	48

➡ 만들 수 있는 수

방법 1 □ ÷ □ =

방법 2 □ ÷ □ =

방법 3 □ ÷ □ =

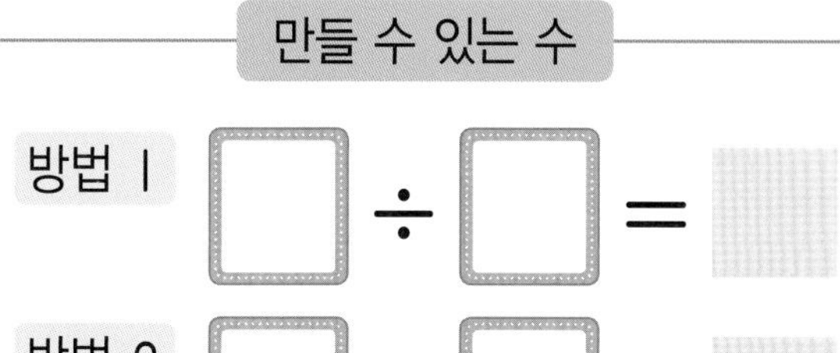

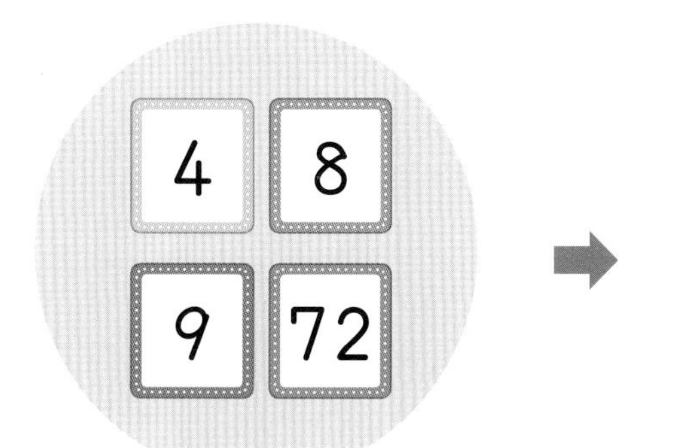

4	8
9	72

➡ 만들 수 있는 수

방법 1 □ ÷ □ =

방법 2 □ ÷ □ =

방법 3 □ ÷ □ =

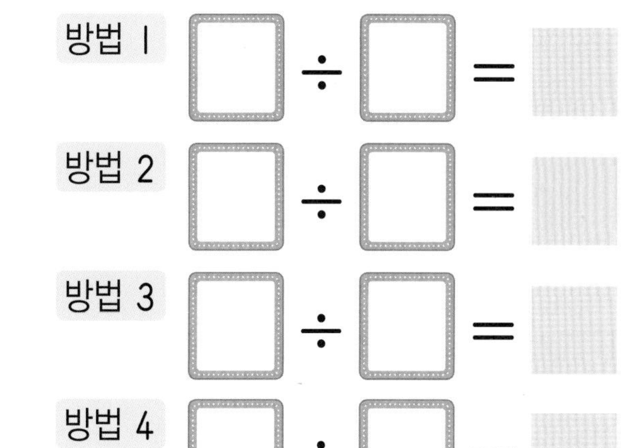

3	6
9	54

➡ 만들 수 있는 수

방법 1 □ ÷ □ =

방법 2 □ ÷ □ =

방법 3 □ ÷ □ =

방법 4 □ ÷ □ =

주어진 수 카드를 사용하여 목표수를 만들어 보시오.

온라인 활동지

목표수

□ ÷ 4 = 3

□ ÷ 5 = 5

6 8 16 24

목표수

□ ÷ 8 = 2

□ ÷ □ = 4

4 5 9 27 35 36

목표수

□ ÷ □ = 3

□ ÷ □ = 7

□ ÷ □ = 9

4 7 8 24 32 63

목표수

□ ÷ □ = 4

□ ÷ □ = 6

□ ÷ □ = 9

4	5	8	9	15	16	40

목표수

$18 \div \boxed{9} = 2$

목표수

$\square \div \square = 3$

$\square \div \square = 4$

$\square \div \square = 5$

3	4	7	9	21	42	81

목표수

$32 \div \square = 8$

목표수

$\square \div \square = 7$

$\square \div \square = 6$

$\square \div \square = 9$

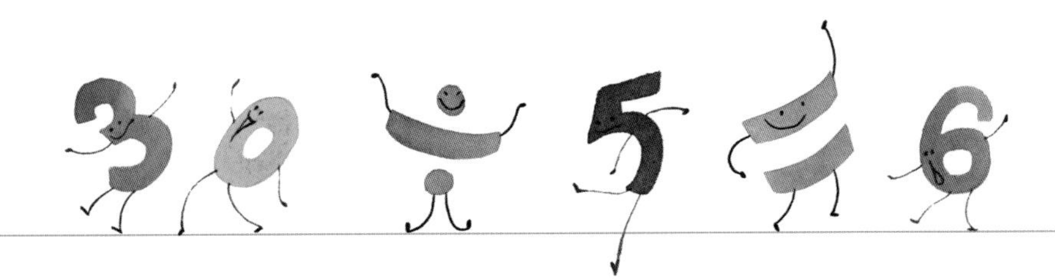

오늘은 얼마나 잘했을까요?
칭찬 붙임 딱지를 붙여 주세요!

나눗셈식 찾기

주어진 조각을 올렸을 때 올바른 식이 되는 곳을 찾아 색칠하시오.

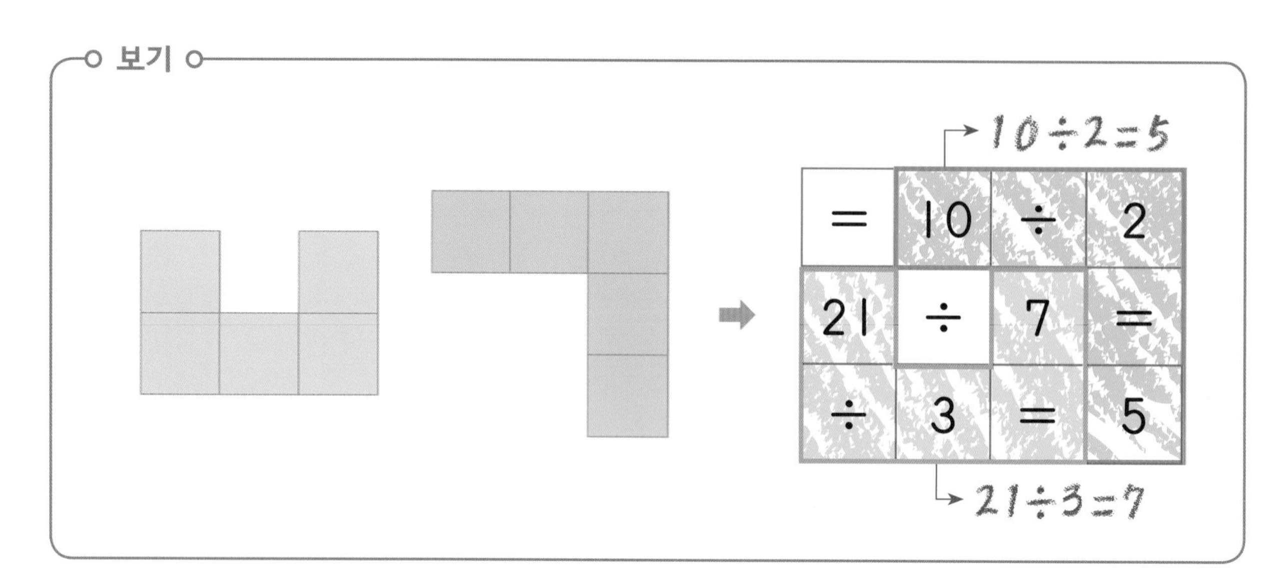

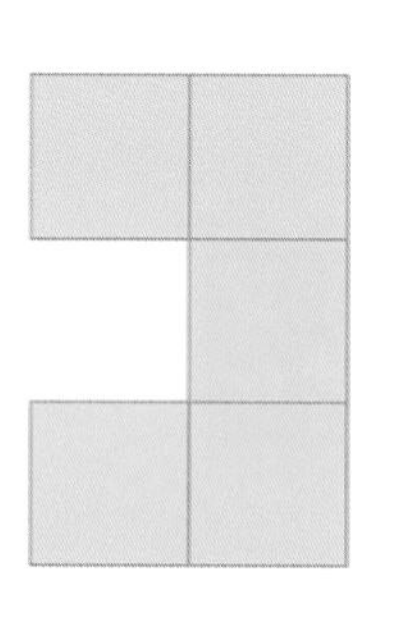

➡

2	45	÷	3
÷	=	5	÷
18	9	=	25

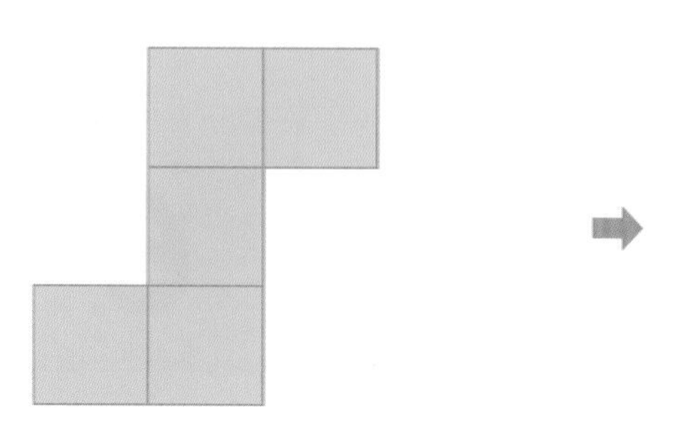

6	=	3	÷
=	9	=	36
27	÷	4	÷

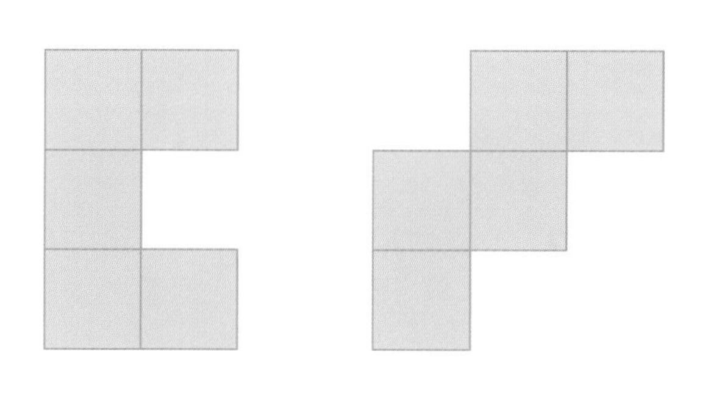

÷	28	6	=	9
7	5	÷	8	÷
=	4	72	=	3

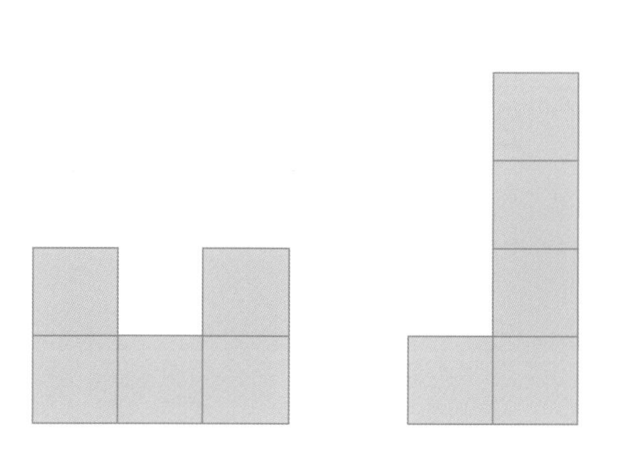

÷	6	48	7
18	=	3	=
÷	6	=	9
21	÷	63	÷

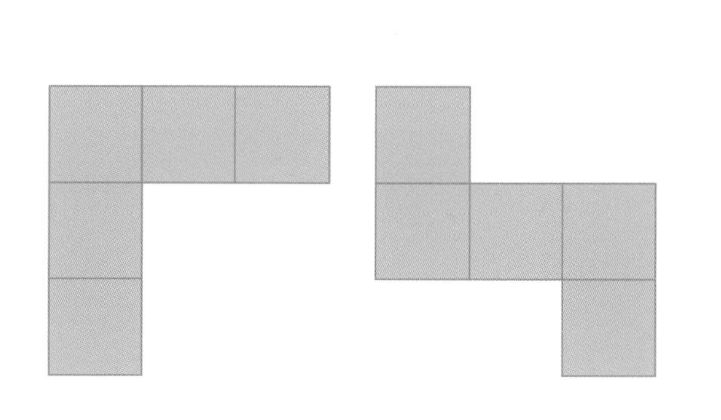

30	6	=	8	÷
5	÷	63	=	4
=	48	÷	9	=
8	÷	72	54	7

수를 [ ] 또는 [ㄱ] 로 묶어 나눗셈식을 주어진 개수보다 많이 만들어보시오.

4개

8	63	4	14	2	7	7	54
2	7	9	35	6	81	9	9
28	2	72	7	56	5	8 =	7
						÷	
10	5	3	5	8	25	56	4

4개

25	3	40	5	36	49 ÷	7	3
						=	
4	2	10	8	2	8	7	15
7	5	56	6	64	6	28	5
18	9	2	9	30	5	4	3

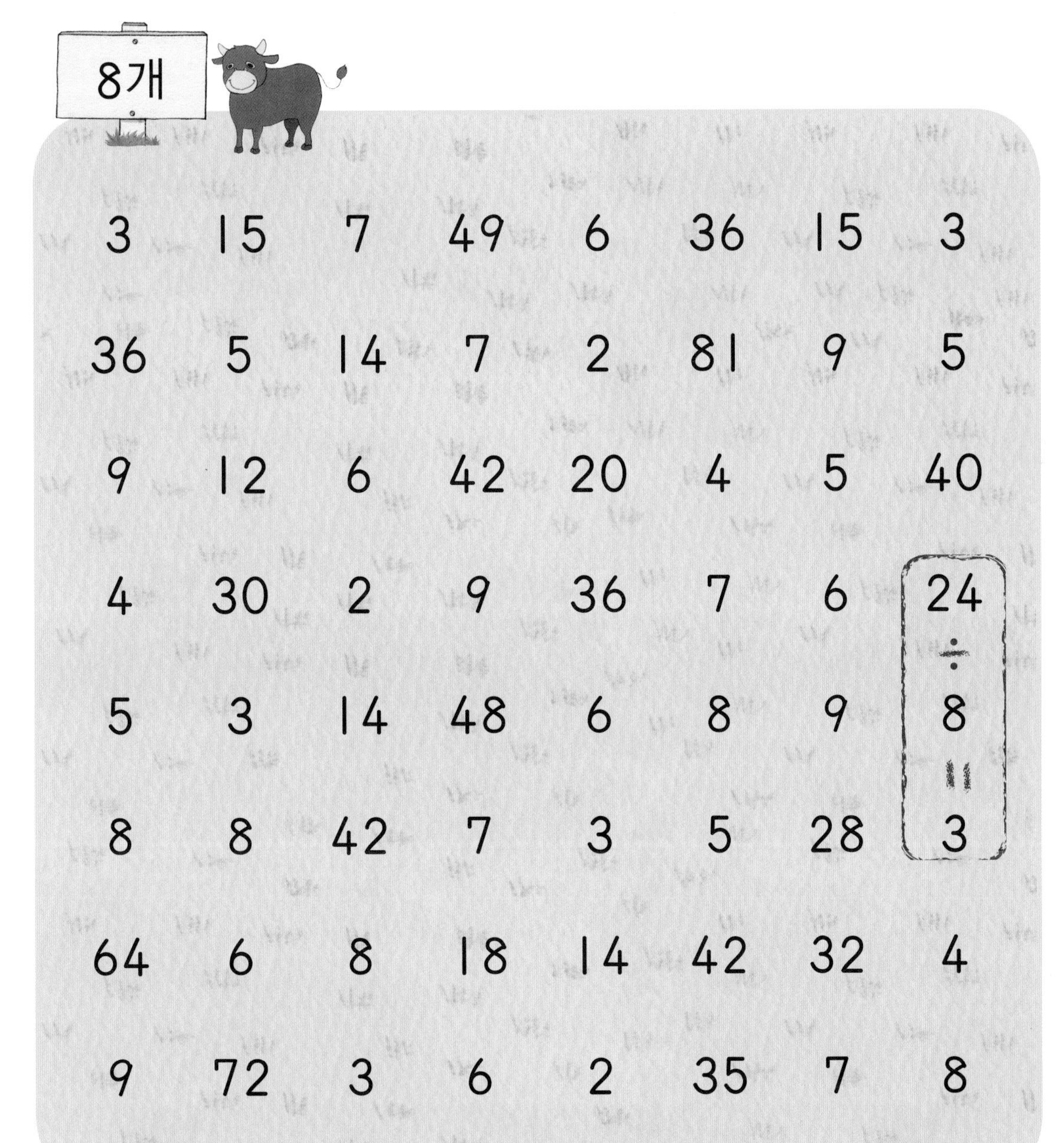
8개
3 15 7 49 6 36 15 3
36 5 14 7 2 81 9 5
9 12 6 42 20 4 5 40
4 30 2 9 36 7 6 24
÷
5 3 14 48 6 8 9 8
=
8 8 42 7 3 5 28 3
64 6 8 18 14 42 32 4
9 72 3 6 2 35 7 8

오늘은 얼마나 잘했을까요?
칭찬 붙임 딱지를
붙여 주세요!

memo

C01
정답

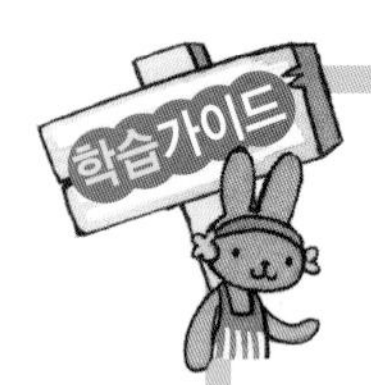

나눗셈의 2가지 개념인 등분제와 포함제를 구체물(빵, 구슬)을 이용하여 이해하는 과정입니다. 첫 번째 개념인 등분제는 주어진 대상을 몇 묶음으로 똑같이 나누었을 때 한 묶음의 크기가 얼마인지를 묻는 상황입니다. 두 번째 개념인 포함제는 주어진 양을 일정한 단위로 묶으면 몇 묶음이나 되는지 묶음의 수를 묻는 상황입니다.

〈6÷2의 두 가지 개념〉

등분제	포함제
구슬 6개를 두 접시에 똑같이 나누어 놓기	구슬 6개를 한 접시에 2개씩 나누어 놓기
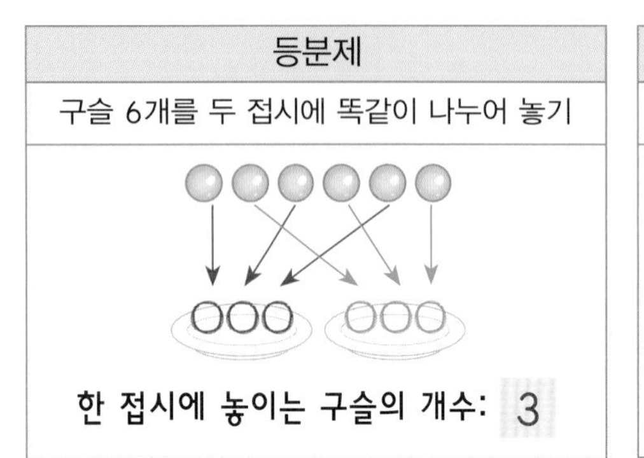	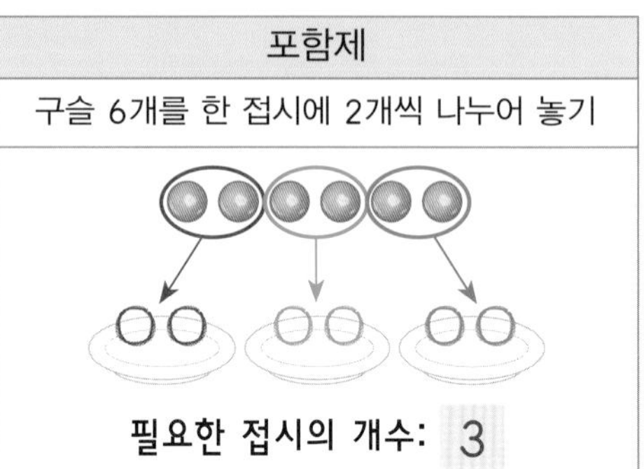
한 접시에 놓이는 구슬의 개수: 3	필요한 접시의 개수: 3

P 08 ~ 09

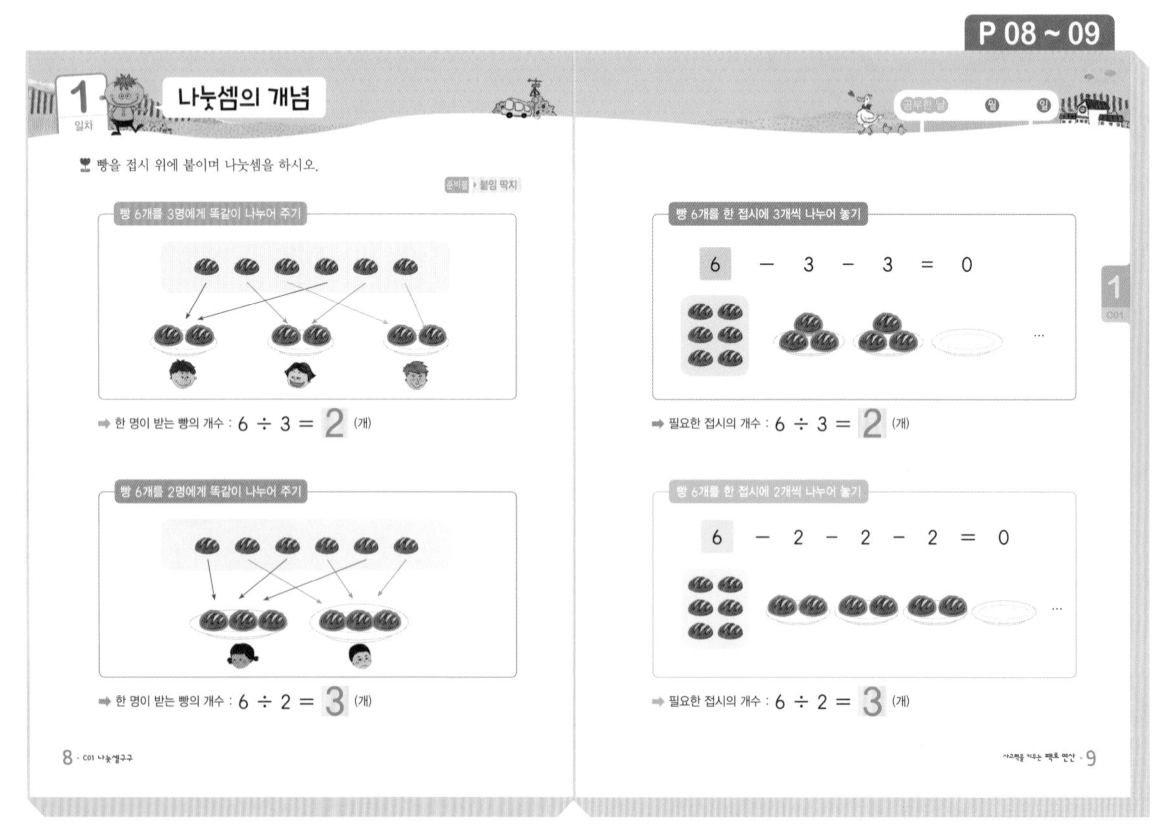
1 일차 나눗셈의 개념

빵을 접시 위에 붙이며 나눗셈을 하시오.

준비물 ▸ 붙임 딱지

빵 6개를 3명에게 똑같이 나누어 주기

➡ 한 명이 받는 빵의 개수 : 6 ÷ 3 = 2 (개)

빵 6개를 2명에게 똑같이 나누어 주기

➡ 한 명이 받는 빵의 개수 : 6 ÷ 2 = 3 (개)

8 · C01 나눗셈구구

공부한 날 월 일

빵 6개를 한 접시에 3개씩 나누어 놓기

6 − 3 − 3 = 0

➡ 필요한 접시의 개수 : 6 ÷ 3 = 2 (개)

빵 6개를 한 접시에 2개씩 나누어 놓기

6 − 2 − 2 − 2 = 0

➡ 필요한 접시의 개수 : 6 ÷ 2 = 3 (개)

사고력을 키우는 빠른 연산 · 9

P 10 ~ 11

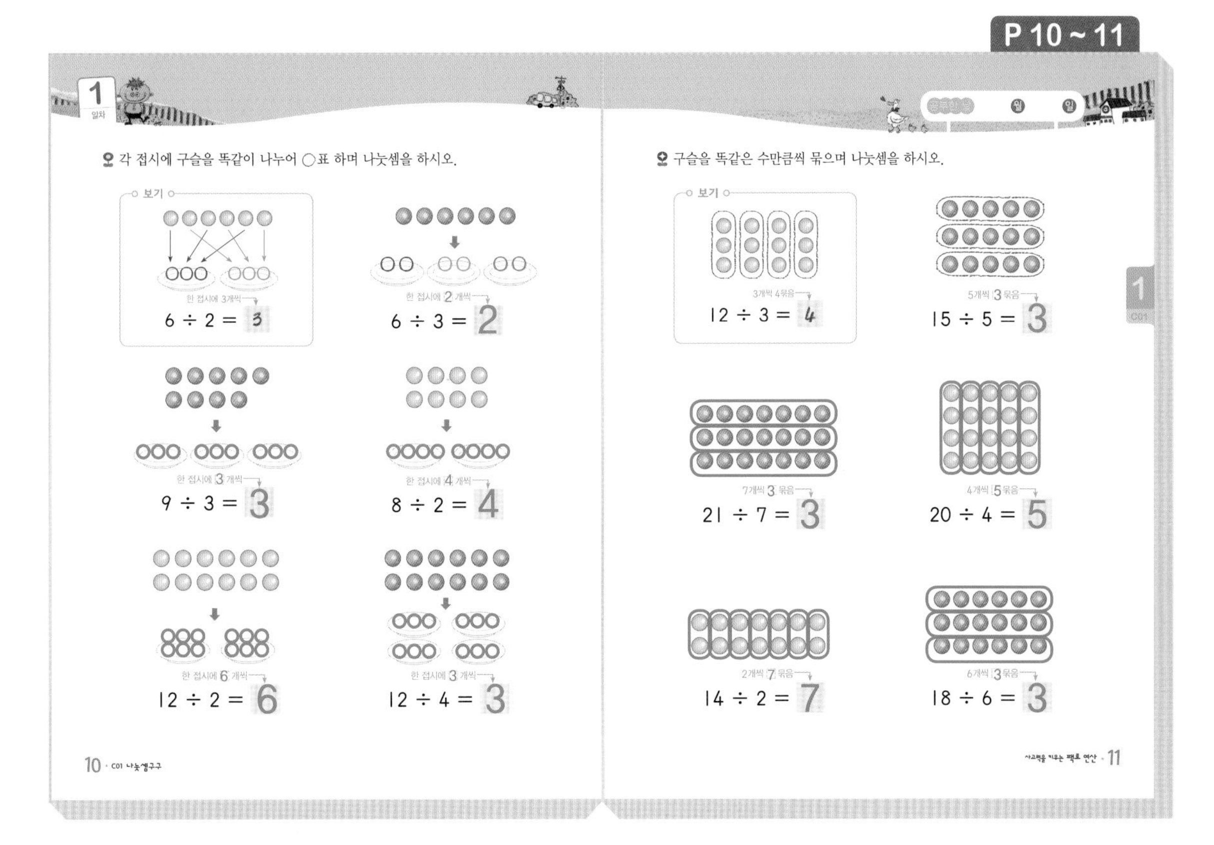
1 일차
각 접시에 구슬을 똑같이 나누어 ○표 하며 나눗셈을 하시오.
보기
한 접시에 3개씩
6 ÷ 2 = 3
한 접시에 2 개씩
6 ÷ 3 = 2
한 접시에 3 개씩
9 ÷ 3 = 3
한 접시에 4 개씩
8 ÷ 2 = 4
한 접시에 6 개씩
12 ÷ 2 = 6
한 접시에 3 개씩
12 ÷ 4 = 3
10 · C01 나눗셈구구
구슬을 똑같은 수만큼씩 묶으며 나눗셈을 하시오.
보기
3개씩 4묶음
12 ÷ 3 = 4
5개씩 3 묶음
15 ÷ 5 = 3
7개씩 3 묶음
21 ÷ 7 = 3
4개씩 5 묶음
20 ÷ 4 = 5
2개씩 7 묶음
14 ÷ 2 = 7
6개씩 3 묶음
18 ÷ 6 = 3
1
C01
사고력을 키우는 팩토 연산 · 11

P 12 ~ 13

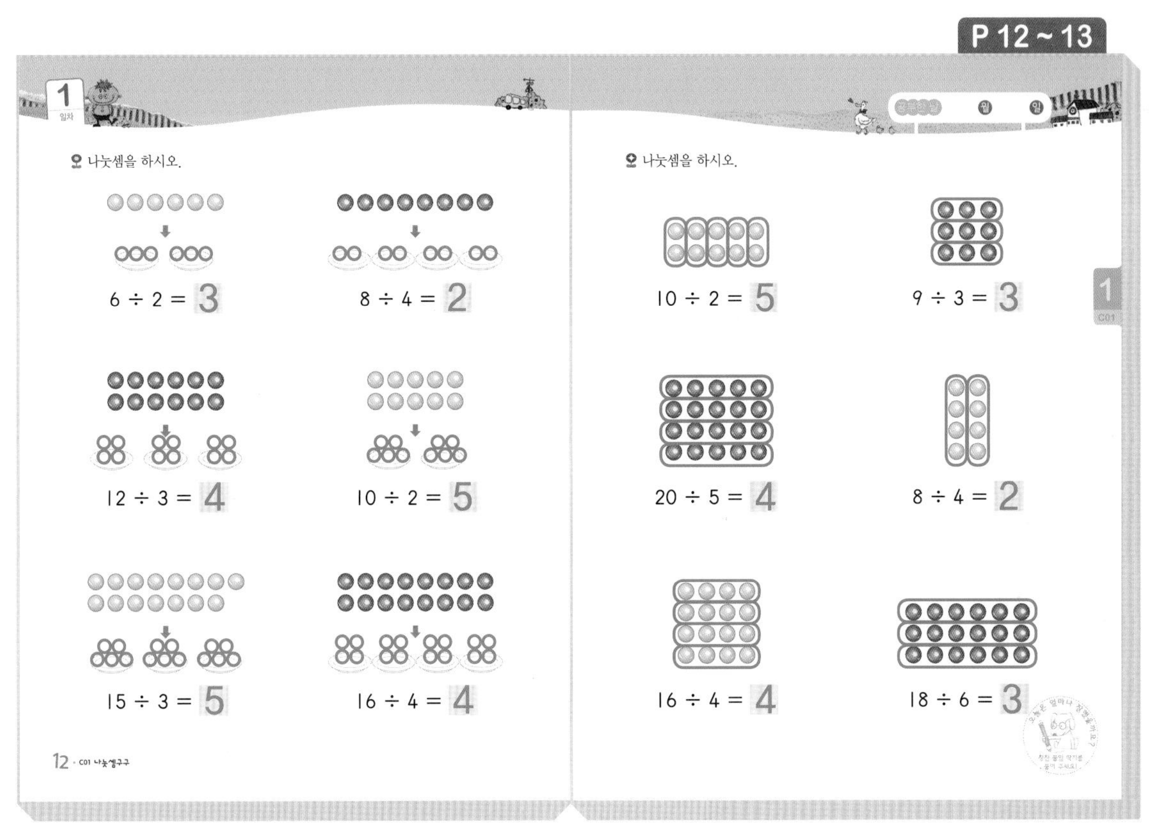
1 일차
나눗셈을 하시오.
6 ÷ 2 = 3
8 ÷ 4 = 2
12 ÷ 3 = 4
10 ÷ 2 = 5
15 ÷ 3 = 5
16 ÷ 4 = 4
12 · C01 나눗셈구구
나눗셈을 하시오.
10 ÷ 2 = 5
9 ÷ 3 = 3
20 ÷ 5 = 4
8 ÷ 4 = 2
16 ÷ 4 = 4
18 ÷ 6 = 3
1
C01

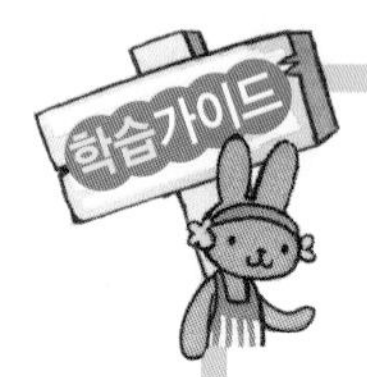

똑같이 나누어 한 부분의 크기를 알아보는 등분제 개념을 바탕으로 '나누기 2'와 '나누기 5'를 학습하는 과정입니다.

나눗셈구구는 곱셈구구와 역의 관계에 있습니다. 따라서 2일차에서 배우는 나눗셈구구 2의 단, 5의 단은 BO4권에서 배운 곱셈구구 2의 단, 5의 단과의 역의 관계를 이용합니다.

또한 구슬 10개를 0접시에 나누어 담을 수 없는 것과 같이 나누는 수가 0이 되는 경우는 없음에 주의합니다.

$5 \times 2 = 10$ ➡ 5 개씩 2묶음이면 10개입니다.

$10 \div 2 = 5$ ➡ 10개를 2묶음으로 나누면 1묶음에 5 개씩입니다.

⬇

$5 \times 2 = 10$

$10 \div 2 = 5$

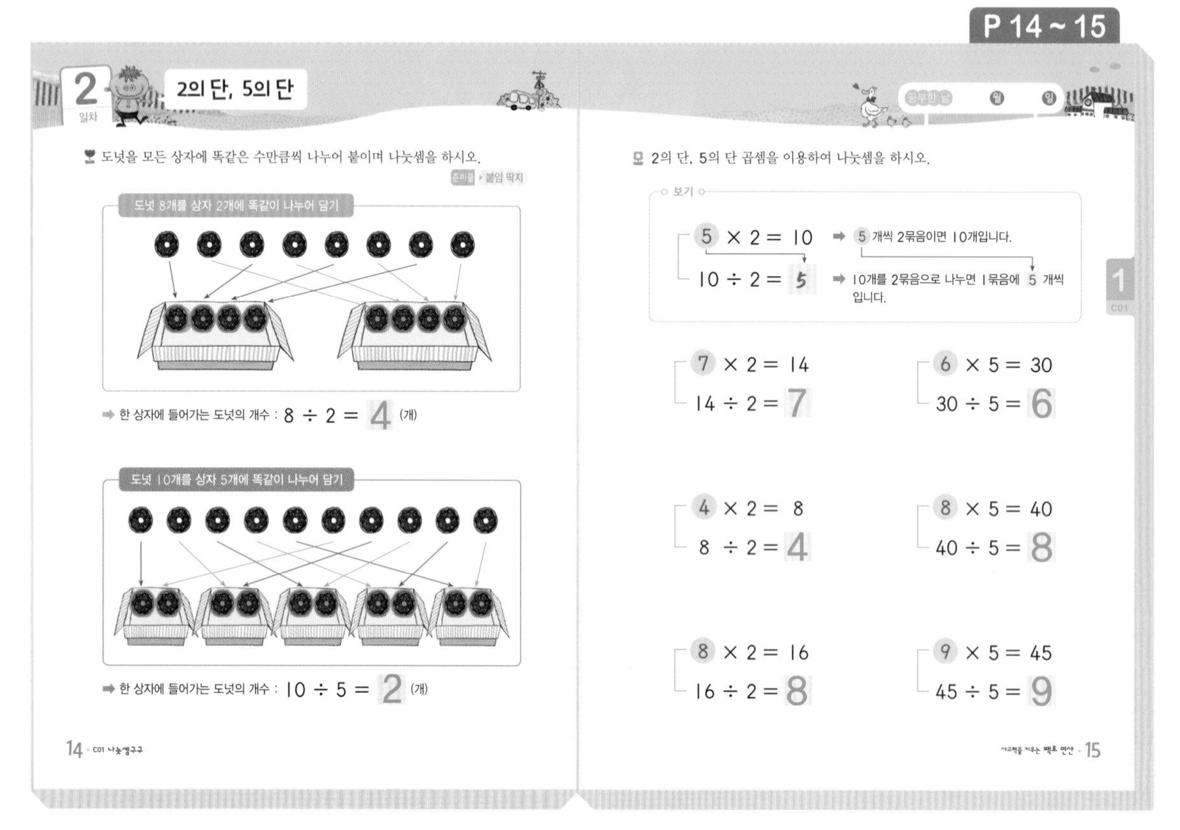
P 14 ~ 15

2 일차 2의 단, 5의 단

도넛을 모든 상자에 똑같은 수만큼씩 나누어 붙이며 나눗셈을 하시오.

준비물 › 붙임 딱지

도넛 8개를 상자 2개에 똑같이 나누어 담기

➡ 한 상자에 들어가는 도넛의 개수 : $8 \div 2 = 4$ (개)

도넛 10개를 상자 5개에 똑같이 나누어 담기

➡ 한 상자에 들어가는 도넛의 개수 : $10 \div 5 = 2$ (개)

14 · C01 나눗셈구구

2의 단, 5의 단 곱셈을 이용하여 나눗셈을 하시오.

보기

$5 \times 2 = 10$ ➡ 5 개씩 2묶음이면 10개입니다.

$10 \div 2 = 5$ ➡ 10개를 2묶음으로 나누면 1묶음에 5 개씩 입니다.

$7 \times 2 = 14$, $14 \div 2 = 7$

$6 \times 5 = 30$, $30 \div 5 = 6$

$4 \times 2 = 8$, $8 \div 2 = 4$

$8 \times 5 = 40$, $40 \div 5 = 8$

$8 \times 2 = 16$, $16 \div 2 = 8$

$9 \times 5 = 45$, $45 \div 5 = 9$

사고력을 키우는 빠른 연산 · 15

P 16 ~ 17

2 일차

2의 단 곱셈을 이용하여 나눗셈을 하시오.

3 × 2 = 6
6 ÷ 2 = 3

5 × 2 = 10
10 ÷ 2 = 5

2 × 2 = 4
4 ÷ 2 = 2

9 × 2 = 18
18 ÷ 2 = 9

6 × 2 = 12
12 ÷ 2 = 6

4 × 2 = 8
8 ÷ 2 = 4

8 × 2 = 16
16 ÷ 2 = 8

3 × 2 = 6
6 ÷ 2 = 3

1 × 2 = 2
2 ÷ 2 = 1

7 × 2 = 14
14 ÷ 2 = 7

5의 단 곱셈을 이용하여 나눗셈을 하시오.

4 × 5 = 20
20 ÷ 5 = 4

3 × 5 = 15
15 ÷ 5 = 3

7 × 5 = 35
35 ÷ 5 = 7

5 × 5 = 25
25 ÷ 5 = 5

9 × 5 = 45
45 ÷ 5 = 9

2 × 5 = 10
10 ÷ 5 = 2

1 × 5 = 5
5 ÷ 5 = 1

4 × 5 = 20
20 ÷ 5 = 4

8 × 5 = 40
40 ÷ 5 = 8

6 × 5 = 30
30 ÷ 5 = 6

16 · C01 나눗셈구구 / 사고력을 키우는 팩토 연산 · 17

P 18 ~ 19

2 일차

나눗셈을 하시오.

8 ÷ 2 = 4
12 ÷ 2 = 6
16 ÷ 2 = 8
4 ÷ 2 = 2
14 ÷ 2 = 7
18 ÷ 2 = 9
2 ÷ 2 = 1
6 ÷ 2 = 3
18 ÷ 2 = 9
10 ÷ 2 = 5
6 ÷ 2 = 3
16 ÷ 2 = 8

35 ÷ 5 = 7
20 ÷ 5 = 4
10 ÷ 5 = 2
30 ÷ 5 = 6
40 ÷ 5 = 8
15 ÷ 5 = 3
5 ÷ 5 = 1
45 ÷ 5 = 9
30 ÷ 5 = 6
35 ÷ 5 = 7
25 ÷ 5 = 5
20 ÷ 5 = 4

18 · C01 나눗셈구구

2일차와 마찬가지로 등분제 개념을 바탕으로 '나누기 3'과 '나누기 4'를 학습하는 과정입니다. 아이들이 처음 접하는 나눗셈인 만큼 곱셈구구와의 역의 관계를 이용하면 나눗셈의 몫을 쉽고 빠르게 구할 수 있다는 것을 느끼게 해 주세요.

나눗셈을 어려워하는 학생은 곱셈의 기초 개념이나 곱셈구구에 대한 이해가 부족하기 때문입니다. 따라서 나눗셈에 앞서 곱셈에 대한 충분한 이해가 선행되어야 합니다.

$5 \times 3 = 15$ ➡ 5개씩 3묶음이면 15개입니다.

$15 \div 3 = 5$ ➡ 15개를 3묶음으로 나누면 1묶음에 5개씩입니다.

⬇

$5 \times 3 = 15$

$15 \div 3 = 5$

P 20 ~ 21

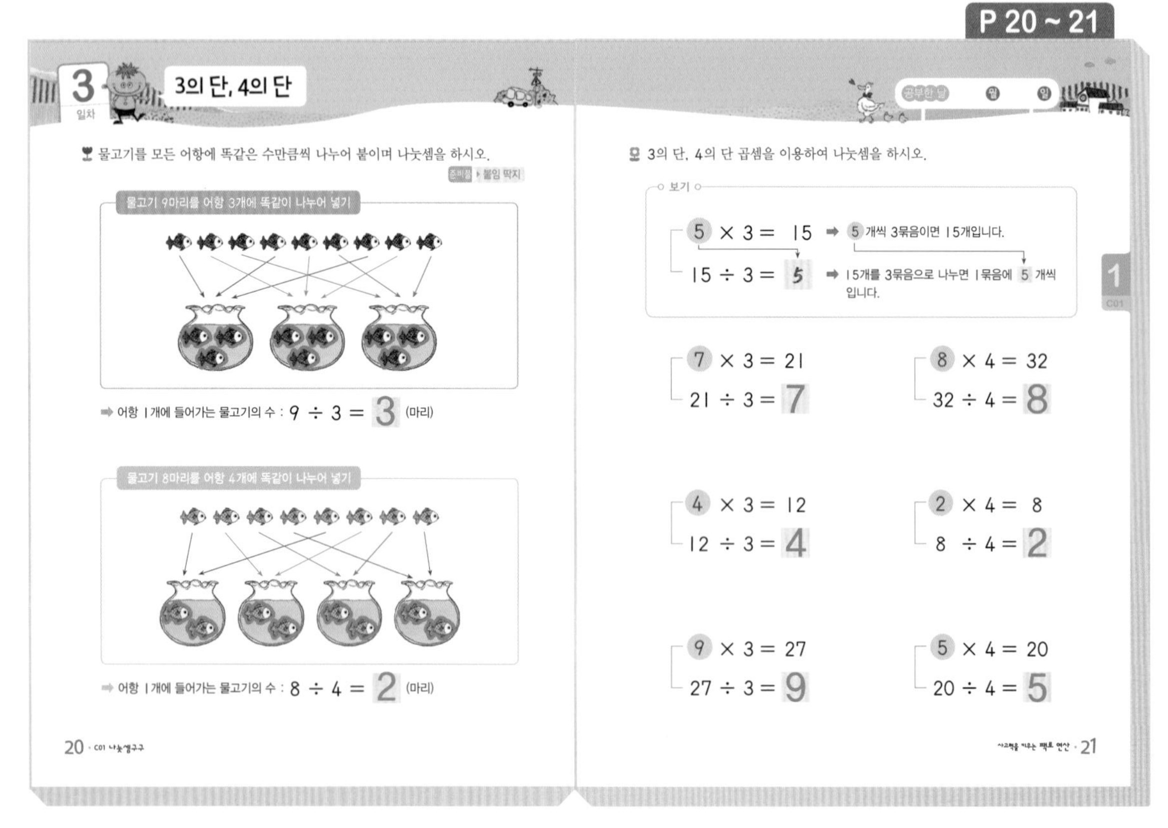
3 일차 3의 단, 4의 단

물고기를 모든 어항에 똑같은 수만큼씩 나누어 붙이며 나눗셈을 하시오. 준비물 ▸ 붙임 딱지

물고기 9마리를 어항 3개에 똑같이 나누어 넣기

➡ 어항 1개에 들어가는 물고기의 수 : $9 \div 3 = 3$ (마리)

물고기 8마리를 어항 4개에 똑같이 나누어 넣기

➡ 어항 1개에 들어가는 물고기의 수 : $8 \div 4 = 2$ (마리)

20 · C01 나눗셈구구

공부한 날 월 일

3의 단, 4의 단 곱셈을 이용하여 나눗셈을 하시오.

보기

$5 \times 3 = 15$ ➡ 5개씩 3묶음이면 15개입니다.

$15 \div 3 = 5$ ➡ 15개를 3묶음으로 나누면 1묶음에 5개씩입니다.

$7 \times 3 = 21$, $21 \div 3 = 7$

$8 \times 4 = 32$, $32 \div 4 = 8$

$4 \times 3 = 12$, $12 \div 3 = 4$

$2 \times 4 = 8$, $8 \div 4 = 2$

$9 \times 3 = 27$, $27 \div 3 = 9$

$5 \times 4 = 20$, $20 \div 4 = 5$

사고력을 키우는 빠른 연산 · 21

P 22 ~ 23

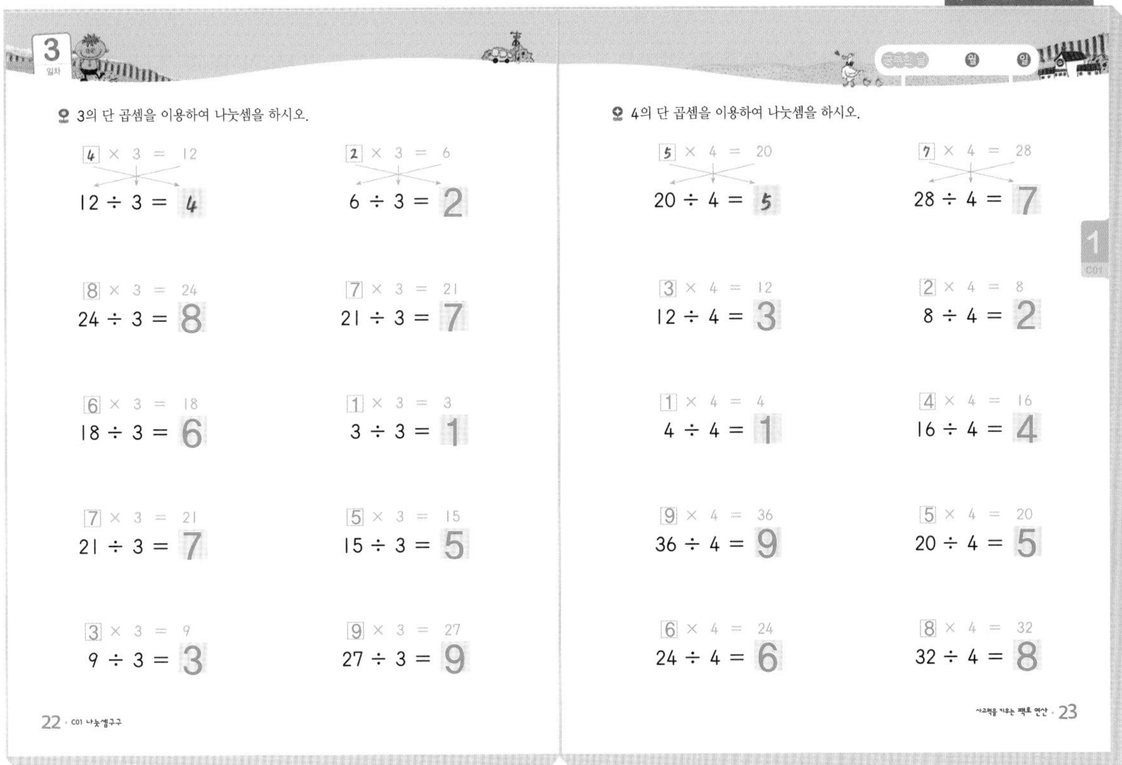

3 일차

3의 단 곱셈을 이용하여 나눗셈을 하시오.

4 × 3 = 12
12 ÷ 3 = 4

2 × 3 = 6
6 ÷ 3 = 2

8 × 3 = 24
24 ÷ 3 = 8

7 × 3 = 21
21 ÷ 3 = 7

6 × 3 = 18
18 ÷ 3 = 6

1 × 3 = 3
3 ÷ 3 = 1

7 × 3 = 21
21 ÷ 3 = 7

5 × 3 = 15
15 ÷ 3 = 5

3 × 3 = 9
9 ÷ 3 = 3

9 × 3 = 27
27 ÷ 3 = 9

22 · C01 나눗셈구구

4의 단 곱셈을 이용하여 나눗셈을 하시오.

5 × 4 = 20
20 ÷ 4 = 5

7 × 4 = 28
28 ÷ 4 = 7

3 × 4 = 12
12 ÷ 4 = 3

2 × 4 = 8
8 ÷ 4 = 2

1 × 4 = 4
4 ÷ 4 = 1

4 × 4 = 16
16 ÷ 4 = 4

9 × 4 = 36
36 ÷ 4 = 9

5 × 4 = 20
20 ÷ 4 = 5

6 × 4 = 24
24 ÷ 4 = 6

8 × 4 = 32
32 ÷ 4 = 8

사고력을 키우는 팩토 연산 · 23

P 24 ~ 25

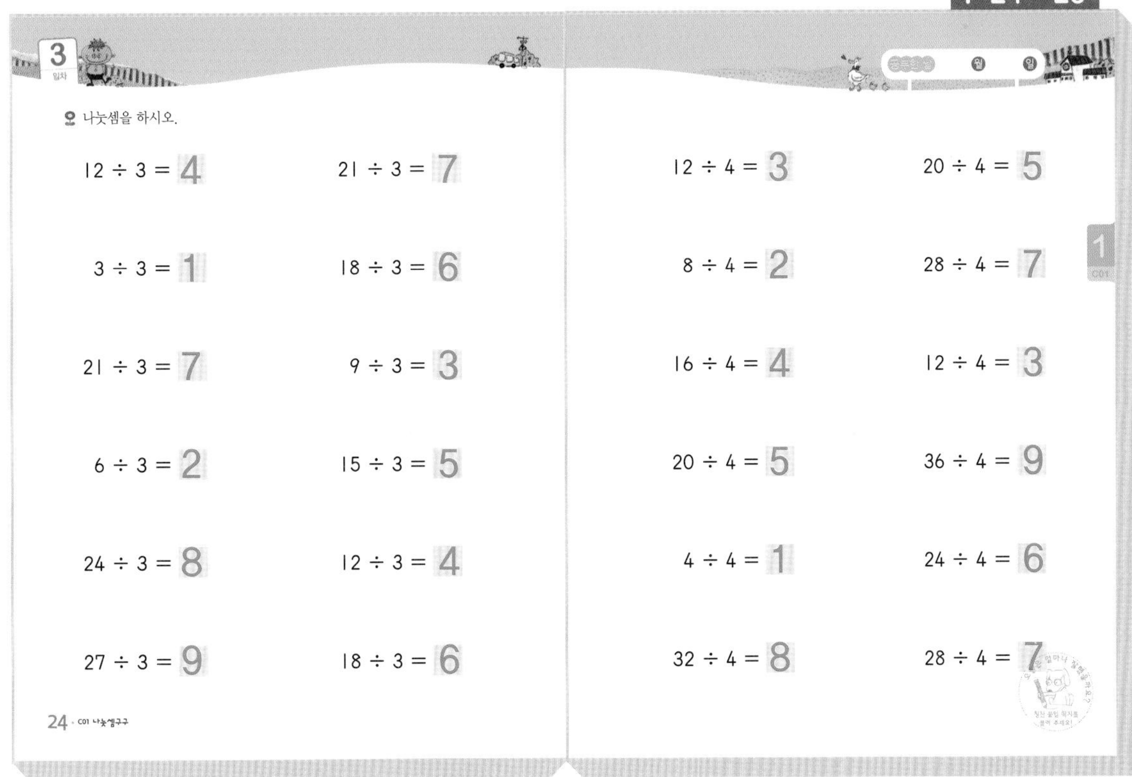

3 일차

나눗셈을 하시오.

12 ÷ 3 = 4
21 ÷ 3 = 7
3 ÷ 3 = 1
18 ÷ 3 = 6
21 ÷ 3 = 7
9 ÷ 3 = 3
6 ÷ 3 = 2
15 ÷ 3 = 5
24 ÷ 3 = 8
12 ÷ 3 = 4
27 ÷ 3 = 9
18 ÷ 3 = 6

24 · C01 나눗셈구구

12 ÷ 4 = 3
20 ÷ 4 = 5
8 ÷ 4 = 2
28 ÷ 4 = 7
16 ÷ 4 = 4
12 ÷ 4 = 3
20 ÷ 4 = 5
36 ÷ 4 = 9
4 ÷ 4 = 1
24 ÷ 4 = 6
32 ÷ 4 = 8
28 ÷ 4 = 7

똑같이 몇 번 들어가는 횟수를 알아보는 포함제 개념을 바탕으로 '나누기 6'과 '나누기 7'을 학습하는 과정입니다. 포함제는 어떤 수에서 같은 수를 여러 번 빼는 동수누감을 나눗셈식으로 나타낸 것입니다. 즉, 12−6−6=0을 나눗셈식으로 나타내면 12÷6=2임을 알 수 있도록 지도합니다. 등분제와 포함제를 구분하는 것은 아이들이 꼭 알아야 할 필요는 없지만, 두 개념의 차이를 확실하게 구별할 수 있는 문장제 문제와 실생활 상황을 통해 느껴 보게 하는 것도 좋은 방법입니다.

$6 \times 2 = 12$ ➡ 6개씩 2 묶음이면 12개입니다.

$12 \div 6 = 2$ ➡ 12개를 6개씩 나누면 2 묶음입니다.

⬇

$6 \times 2 = 12$

$12 \div 6 = 2$

P 26 ~ 27

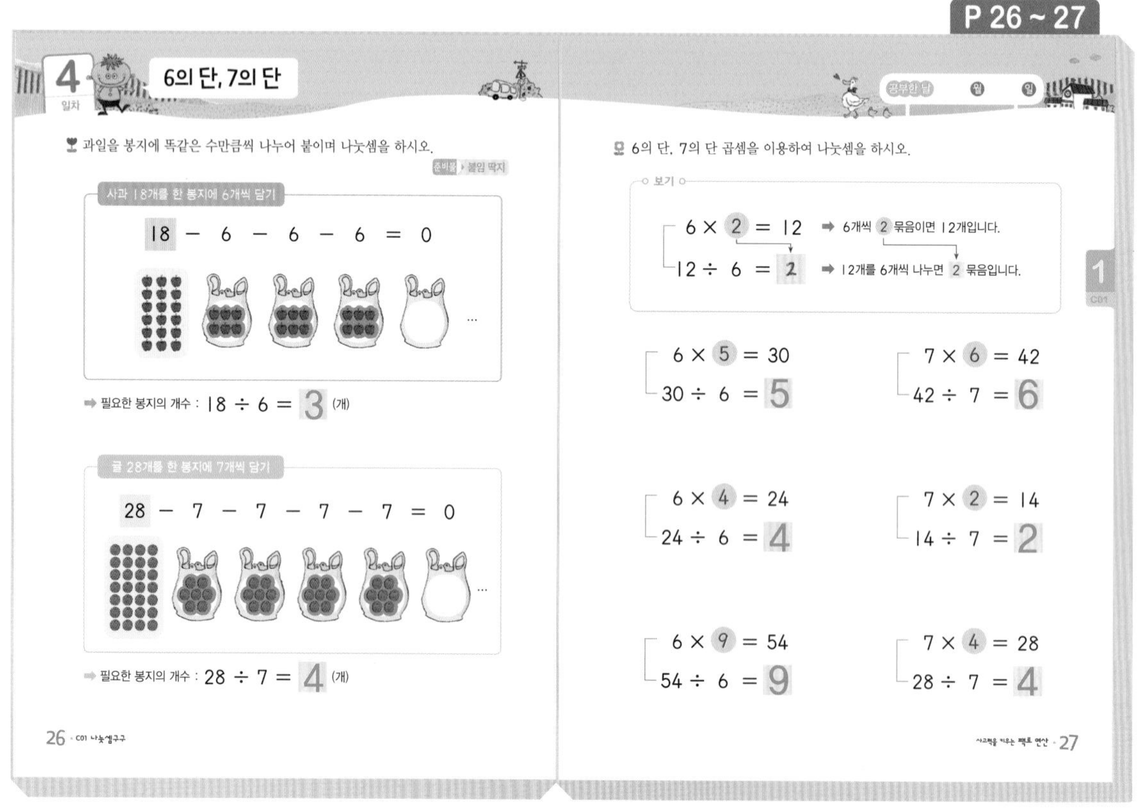
4 일차 6의 단, 7의 단

과일을 봉지에 똑같은 수만큼씩 나누어 붙이며 나눗셈을 하시오.

사과 18개를 한 봉지에 6개씩 담기

18 − 6 − 6 − 6 = 0

➡ 필요한 봉지의 개수 : 18 ÷ 6 = 3 (개)

귤 28개를 한 봉지에 7개씩 담기

28 − 7 − 7 − 7 − 7 = 0

➡ 필요한 봉지의 개수 : 28 ÷ 7 = 4 (개)

26 · C01 나눗셈구구

6의 단, 7의 단 곱셈을 이용하여 나눗셈을 하시오.

보기

6 × 2 = 12 ➡ 6개씩 2 묶음이면 12개입니다.

12 ÷ 6 = 2 ➡ 12개를 6개씩 나누면 2 묶음입니다.

6 × 5 = 30, 30 ÷ 6 = 5

7 × 6 = 42, 42 ÷ 7 = 6

6 × 4 = 24, 24 ÷ 6 = 4

7 × 2 = 14, 14 ÷ 7 = 2

6 × 9 = 54, 54 ÷ 6 = 9

7 × 4 = 28, 28 ÷ 7 = 4

27

P 28 ~ 29

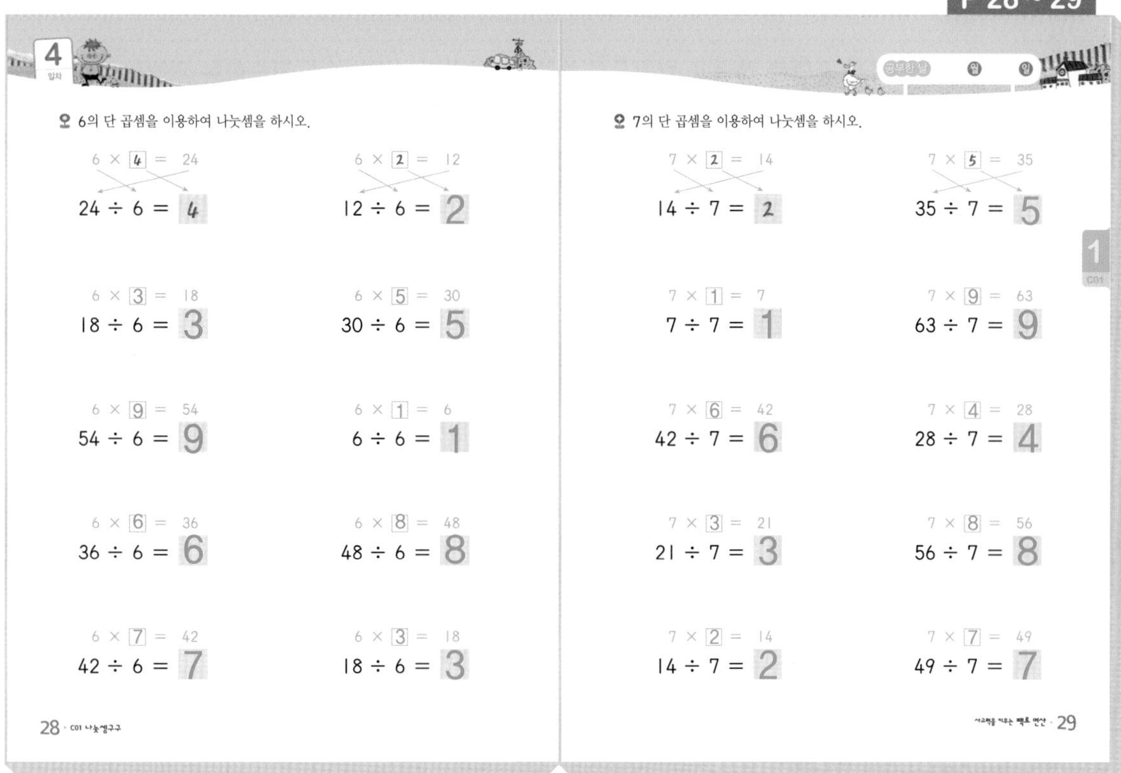

4 일차

6의 단 곱셈을 이용하여 나눗셈을 하시오.

6 × 4 = 24
24 ÷ 6 = 4

6 × 2 = 12
12 ÷ 6 = 2

6 × 3 = 18
18 ÷ 6 = 3

6 × 5 = 30
30 ÷ 6 = 5

6 × 9 = 54
54 ÷ 6 = 9

6 × 1 = 6
6 ÷ 6 = 1

6 × 6 = 36
36 ÷ 6 = 6

6 × 8 = 48
48 ÷ 6 = 8

6 × 7 = 42
42 ÷ 6 = 7

6 × 3 = 18
18 ÷ 6 = 3

28 · C01 나눗셈구구

7의 단 곱셈을 이용하여 나눗셈을 하시오.

7 × 2 = 14
14 ÷ 7 = 2

7 × 5 = 35
35 ÷ 7 = 5

7 × 1 = 7
7 ÷ 7 = 1

7 × 9 = 63
63 ÷ 7 = 9

7 × 6 = 42
42 ÷ 7 = 6

7 × 4 = 28
28 ÷ 7 = 4

7 × 3 = 21
21 ÷ 7 = 3

7 × 8 = 56
56 ÷ 7 = 8

7 × 2 = 14
14 ÷ 7 = 2

7 × 7 = 49
49 ÷ 7 = 7

1 C01

사고력을 키우는 팩토 연산 · 29

P 30 ~ 31

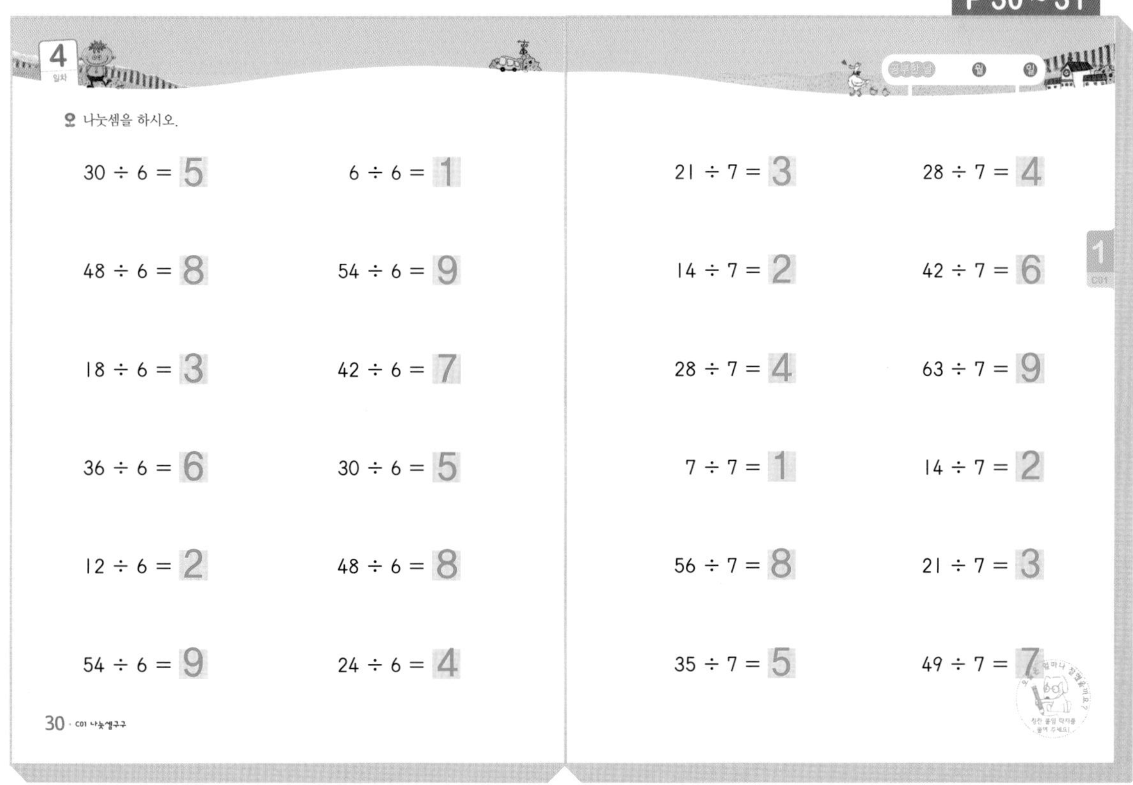

4 일차

나눗셈을 하시오.

30 ÷ 6 = 5
6 ÷ 6 = 1

48 ÷ 6 = 8
54 ÷ 6 = 9

18 ÷ 6 = 3
42 ÷ 6 = 7

36 ÷ 6 = 6
30 ÷ 6 = 5

12 ÷ 6 = 2
48 ÷ 6 = 8

54 ÷ 6 = 9
24 ÷ 6 = 4

30 · C01 나눗셈구구

21 ÷ 7 = 3
28 ÷ 7 = 4

14 ÷ 7 = 2
42 ÷ 7 = 6

28 ÷ 7 = 4
63 ÷ 7 = 9

7 ÷ 7 = 1
14 ÷ 7 = 2

56 ÷ 7 = 8
21 ÷ 7 = 3

35 ÷ 7 = 5
49 ÷ 7 = 7

1 C01

4일차에 이어서 포함제 개념을 바탕으로 '나누기 8'과 '나누기 9'를 학습하는 과정입니다. 곱셈구구와 마찬가지로 나눗셈구구도 큰 수의 나눗셈을 신속하고 정확하게 계산하기 위한 기초 과정입니다. 더 나아가 나눗셈은 분수와도 매우 밀접한 관련이 있는 개념이므로 지금까지 배운 나눗셈구구 2의 단부터 9의 단까지 답이 자동으로 나올 수 있도록 반복하여 연습해 주세요.

$8 \times 3 = 24$ ➡ 8개씩 3 묶음이면 24개입니다.

$24 \div 8 = 3$ ➡ 24개를 8개씩 나누면 3 묶음입니다.

⬇

$8 \times \boxed{3} = 24$

$24 \div 8 = 3$

P 32 ~ 33

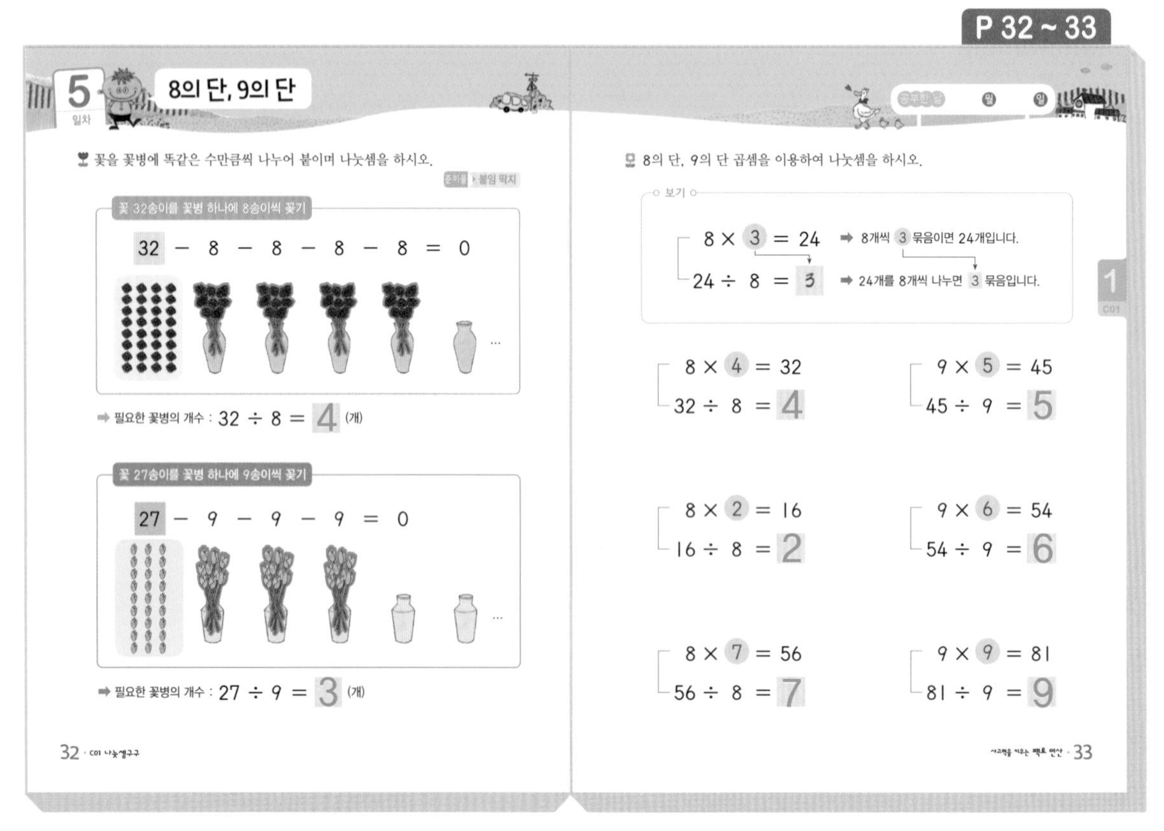

5 일차 8의 단, 9의 단

꽃을 꽃병에 똑같은 수만큼씩 나누어 붙이며 나눗셈을 하시오.

준비물 • 붙임 딱지

꽃 32송이를 꽃병 하나에 8송이씩 꽂기

$32 - 8 - 8 - 8 - 8 = 0$

➡ 필요한 꽃병의 개수 : $32 \div 8 = 4$ (개)

꽃 27송이를 꽃병 하나에 9송이씩 꽂기

$27 - 9 - 9 - 9 = 0$

➡ 필요한 꽃병의 개수 : $27 \div 9 = 3$ (개)

32 • C01 나눗셈구구

8의 단, 9의 단 곱셈을 이용하여 나눗셈을 하시오.

보기

$8 \times 3 = 24$ ➡ 8개씩 3 묶음이면 24개입니다.

$24 \div 8 = 3$ ➡ 24개를 8개씩 나누면 3 묶음입니다.

$8 \times 4 = 32$, $32 \div 8 = 4$

$9 \times 5 = 45$, $45 \div 9 = 5$

$8 \times 2 = 16$, $16 \div 8 = 2$

$9 \times 6 = 54$, $54 \div 9 = 6$

$8 \times 7 = 56$, $56 \div 8 = 7$

$9 \times 9 = 81$, $81 \div 9 = 9$

33

P 34 ~ 35

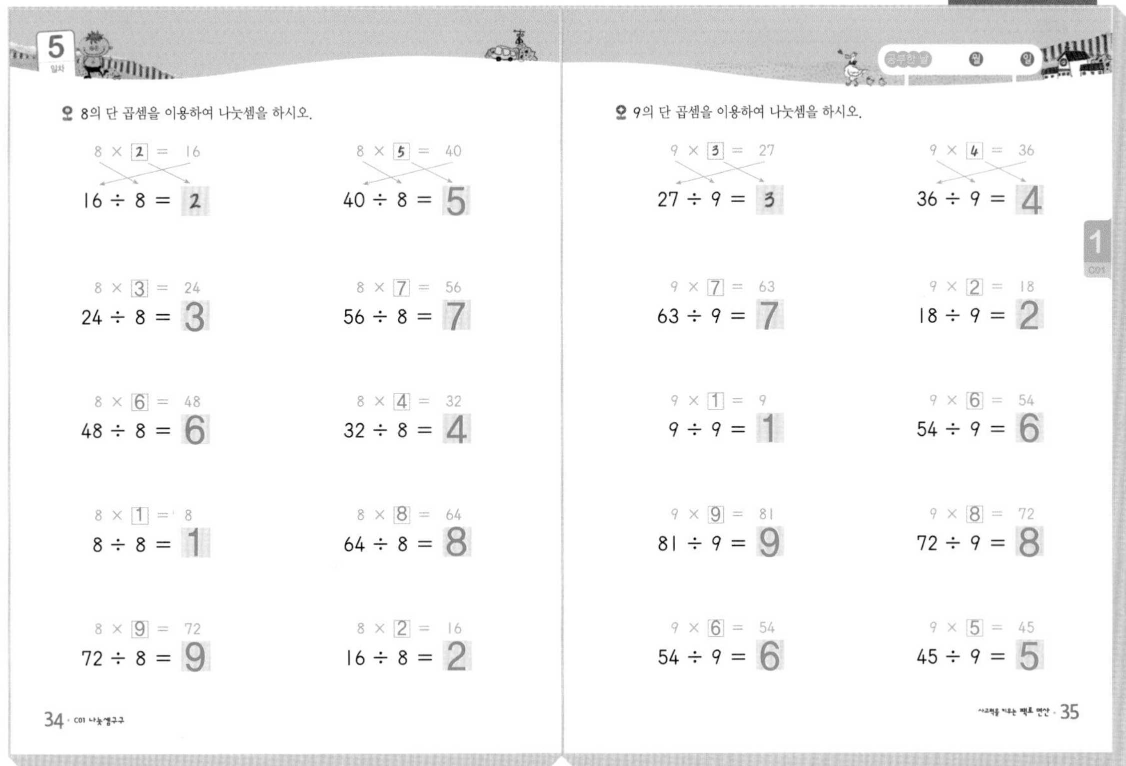
5 일차

8의 단 곱셈을 이용하여 나눗셈을 하시오.

8 × 2 = 16
16 ÷ 8 = 2

8 × 5 = 40
40 ÷ 8 = 5

8 × 3 = 24
24 ÷ 8 = 3

8 × 7 = 56
56 ÷ 8 = 7

8 × 6 = 48
48 ÷ 8 = 6

8 × 4 = 32
32 ÷ 8 = 4

8 × 1 = 8
8 ÷ 8 = 1

8 × 8 = 64
64 ÷ 8 = 8

8 × 9 = 72
72 ÷ 8 = 9

8 × 2 = 16
16 ÷ 8 = 2

34 · C01 나눗셈구구

9의 단 곱셈을 이용하여 나눗셈을 하시오.

9 × 3 = 27
27 ÷ 9 = 3

9 × 4 = 36
36 ÷ 9 = 4

9 × 7 = 63
63 ÷ 9 = 7

9 × 2 = 18
18 ÷ 9 = 2

9 × 1 = 9
9 ÷ 9 = 1

9 × 6 = 54
54 ÷ 9 = 6

9 × 9 = 81
81 ÷ 9 = 9

9 × 8 = 72
72 ÷ 9 = 8

9 × 6 = 54
54 ÷ 9 = 6

9 × 5 = 45
45 ÷ 9 = 5

사고력을 키우는 팩토 연산 · 35

P 36 ~ 37

5 일차

나눗셈을 하시오.

32 ÷ 8 = 4

16 ÷ 8 = 2

24 ÷ 8 = 3

48 ÷ 8 = 6

72 ÷ 8 = 9

8 ÷ 8 = 1

56 ÷ 8 = 7

32 ÷ 8 = 4

16 ÷ 8 = 2

64 ÷ 8 = 8

40 ÷ 8 = 5

56 ÷ 8 = 7

36 · C01 나눗셈구구

9 ÷ 9 = 1

18 ÷ 9 = 2

54 ÷ 9 = 6

72 ÷ 9 = 8

27 ÷ 9 = 3

63 ÷ 9 = 7

36 ÷ 9 = 4

81 ÷ 9 = 9

63 ÷ 9 = 7

18 ÷ 9 = 2

45 ÷ 9 = 5

36 ÷ 9 = 4

P 38 ~ 39

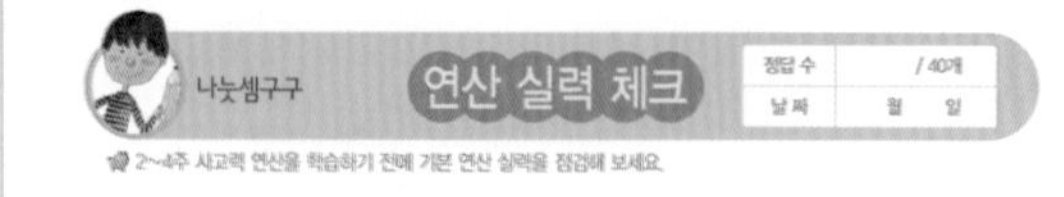

2~4주 사고력 연산을 학습하기 전에 기본 연산 실력을 점검해 보세요.

1. $16 \div 2 = 8$
2. $24 \div 8 = 3$
3. $20 \div 5 = 4$
4. $35 \div 7 = 5$
5. $54 \div 6 = 9$
6. $12 \div 3 = 4$
7. $24 \div 4 = 6$
8. $27 \div 3 = 9$
9. $42 \div 6 = 7$
10. $27 \div 9 = 3$
11. $20 \div 4 = 5$
12. $45 \div 5 = 9$

38 · C01 나눗셈구구

연산 실력 체크

13. $54 \div 9 = 6$
14. $8 \div 2 = 4$
15. $36 \div 4 = 9$
16. $40 \div 8 = 5$
17. $48 \div 6 = 8$
18. $16 \div 8 = 2$
19. $32 \div 4 = 8$
20. $56 \div 7 = 8$
21. $15 \div 3 = 5$
22. $40 \div 5 = 8$
23. $7 \div 7 = 1$
24. $81 \div 9 = 9$

사고력을 키우는 팩토 연산 · 39

P 40 ~ 41

나눗셈구구

25. $64 \div 8 = 8$
26. $28 \div 7 = 4$
27. $6 \div 2 = 3$
28. $30 \div 5 = 6$
29. $28 \div 4 = 7$
30. $18 \div 6 = 3$
31. $45 \div 9 = 5$
32. $18 \div 3 = 6$
33. $32 \div 8 = 4$
34. $49 \div 7 = 7$
35. $15 \div 5 = 3$
36. $56 \div 8 = 7$

40 · C01 나눗셈구구

연산 실력 체크

37. $10 \div 2 = 5$
38. $72 \div 9 = 8$
39. $9 \div 3 = 3$
40. $35 \div 5 = 7$

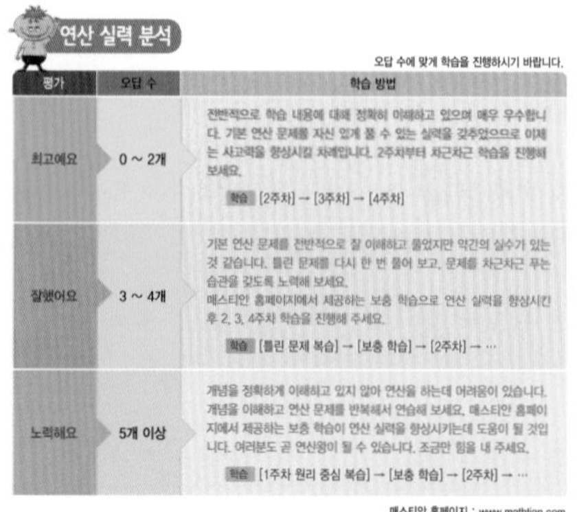

연산 실력 분석

오답 수에 맞게 학습을 진행하시기 바랍니다.

평가	오답 수	학습 방법
최고예요	0 ~ 2개	전반적으로 학습 내용에 대해 정확히 이해하고 있으며 매우 우수합니다. 기본 연산 문제를 자신 있게 풀 수 있는 실력을 갖추었으므로 이제는 사고력을 향상시킬 차례입니다. 2주차부터 차근차근 학습을 진행해 보세요. 학습 [2주차] → [3주차] → [4주차]
잘했어요	3 ~ 4개	기본 연산 문제를 전반적으로 잘 이해하고 풀었지만 약간의 실수가 있는 것 같습니다. 틀린 문제를 다시 한 번 풀어 보고, 문제를 차근차근 푸는 습관을 갖도록 노력해 보세요. 매스티안 홈페이지에서 제공하는 보충 학습으로 연산 실력을 향상시킨 후 2, 3, 4주차 학습을 진행해 주세요. 학습 [틀린 문제 복습] → [보충 학습] → [2주차] → …
노력해요	5개 이상	개념을 정확하게 이해하고 있지 않아 연산을 하는데 어려움이 있습니다. 개념을 이해하고 연산 문제를 반복해서 연습해 보세요. 매스티안 홈페이지에서 제공하는 보충 학습이 연산 실력을 향상시키는데 도움이 될 것입니다. 여러분도 곧 연산왕이 될 수 있습니다. 조금만 힘을 내 주세요. 학습 [1주차 원리 중심 복습] → [보충 학습] → [2주차] → …

매스티안 홈페이지 : www.mathtian.com

사고력을 키우는 팩토 연산 · 41

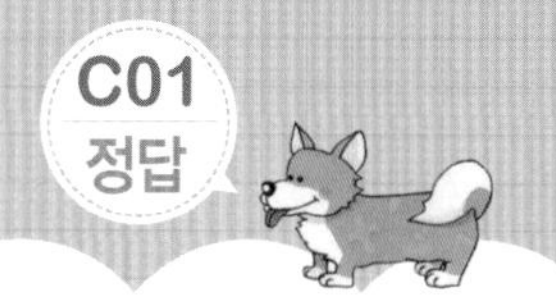
C01
정답

P 44 ~ 45

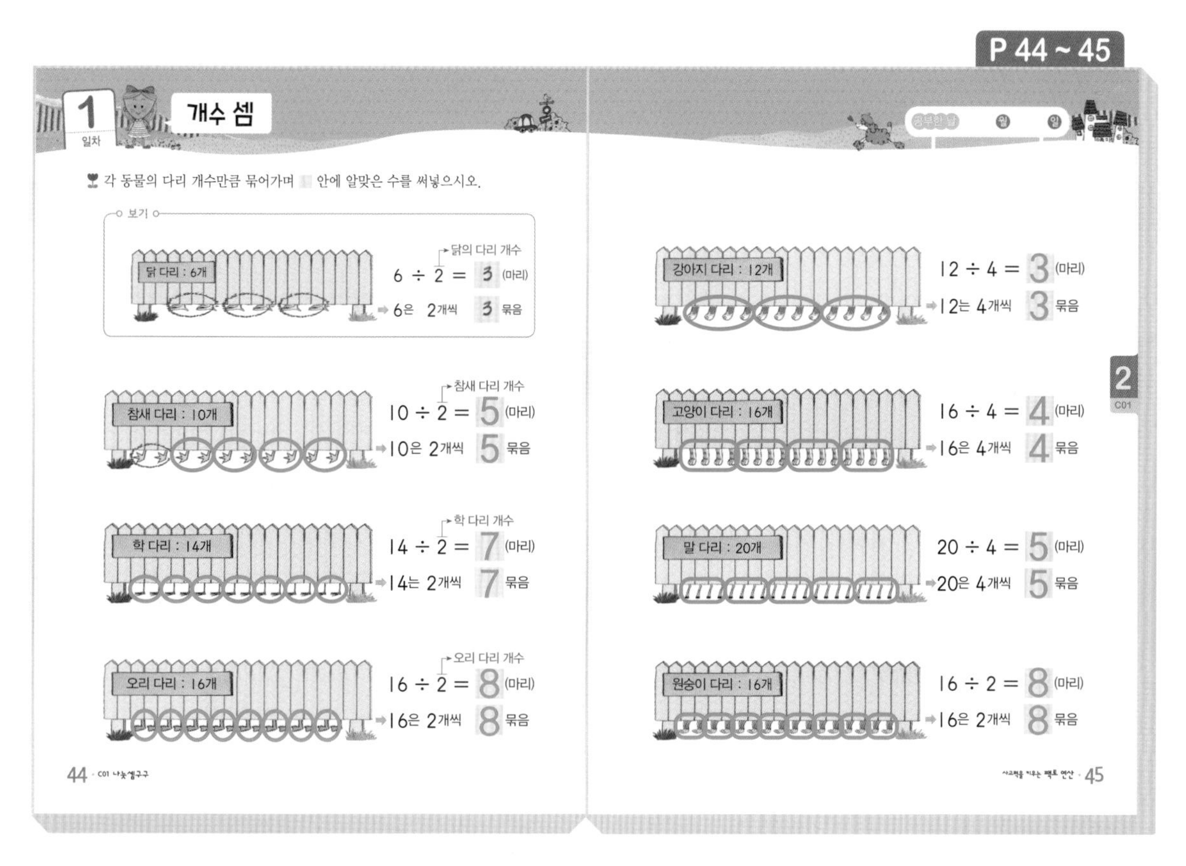
1 일차
개수 셈
각 동물의 다리 개수만큼 묶어가며 안에 알맞은 수를 써넣으시오.
보기
닭 다리 : 6개
닭의 다리 개수
6 ÷ 2 = 3 (마리)
6은 2개씩 3 묶음
참새 다리 : 10개
참새 다리 개수
10 ÷ 2 = 5 (마리)
10은 2개씩 5 묶음
학 다리 : 14개
학 다리 개수
14 ÷ 2 = 7 (마리)
14는 2개씩 7 묶음
오리 다리 : 16개
오리 다리 개수
16 ÷ 2 = 8 (마리)
16은 2개씩 8 묶음
강아지 다리 : 12개
12 ÷ 4 = 3 (마리)
12는 4개씩 3 묶음
고양이 다리 : 16개
16 ÷ 4 = 4 (마리)
16은 4개씩 4 묶음
말 다리 : 20개
20 ÷ 4 = 5 (마리)
20은 4개씩 5 묶음
원숭이 다리 : 16개
16 ÷ 2 = 8 (마리)
16은 2개씩 8 묶음
44
45

P 46 ~ 47

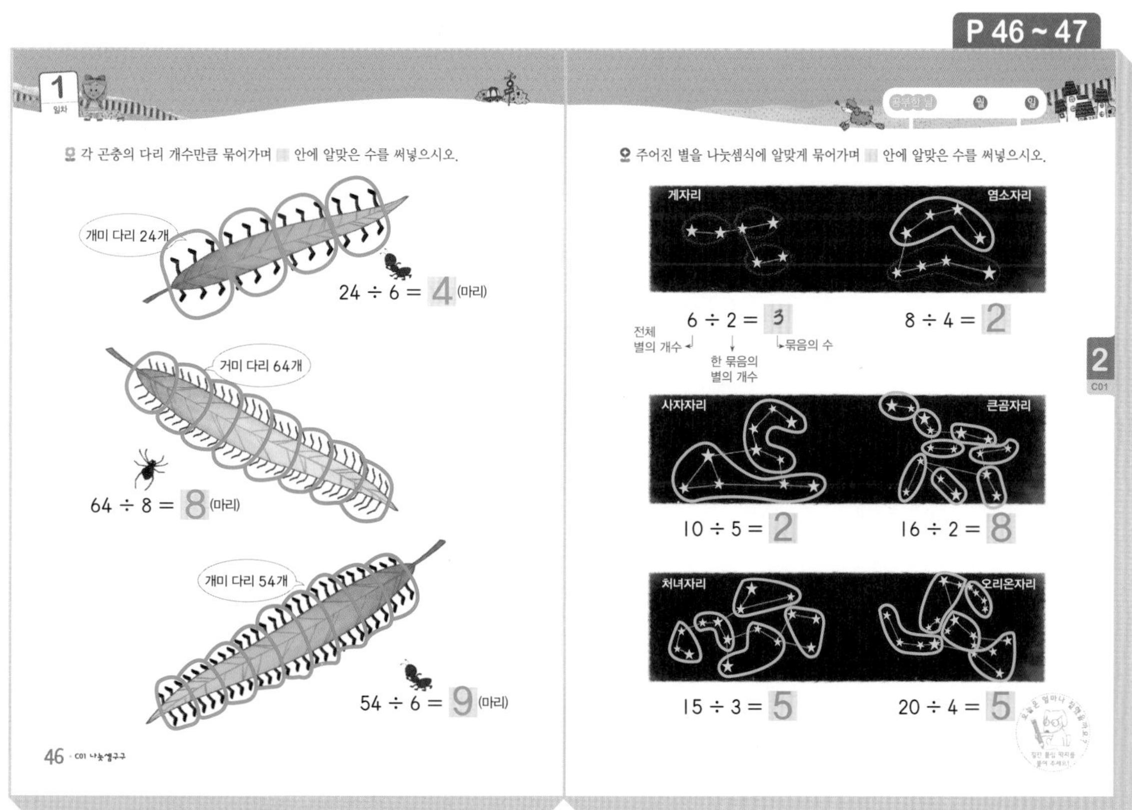
1 일차
각 곤충의 다리 개수만큼 묶어가며 안에 알맞은 수를 써넣으시오.
개미 다리 24개
24 ÷ 6 = 4 (마리)
거미 다리 64개
64 ÷ 8 = 8 (마리)
개미 다리 54개
54 ÷ 6 = 9 (마리)
주어진 별을 나눗셈식에 알맞게 묶어가며 안에 알맞은 수를 써넣으시오.
게자리
염소자리
6 ÷ 2 = 3
전체 별의 개수
한 묶음의 별의 개수
묶음의 수
8 ÷ 4 = 2
사자자리
큰곰자리
10 ÷ 5 = 2
16 ÷ 2 = 8
처녀자리
오리온자리
15 ÷ 3 = 5
20 ÷ 4 = 5
46

P 48 ~ 49

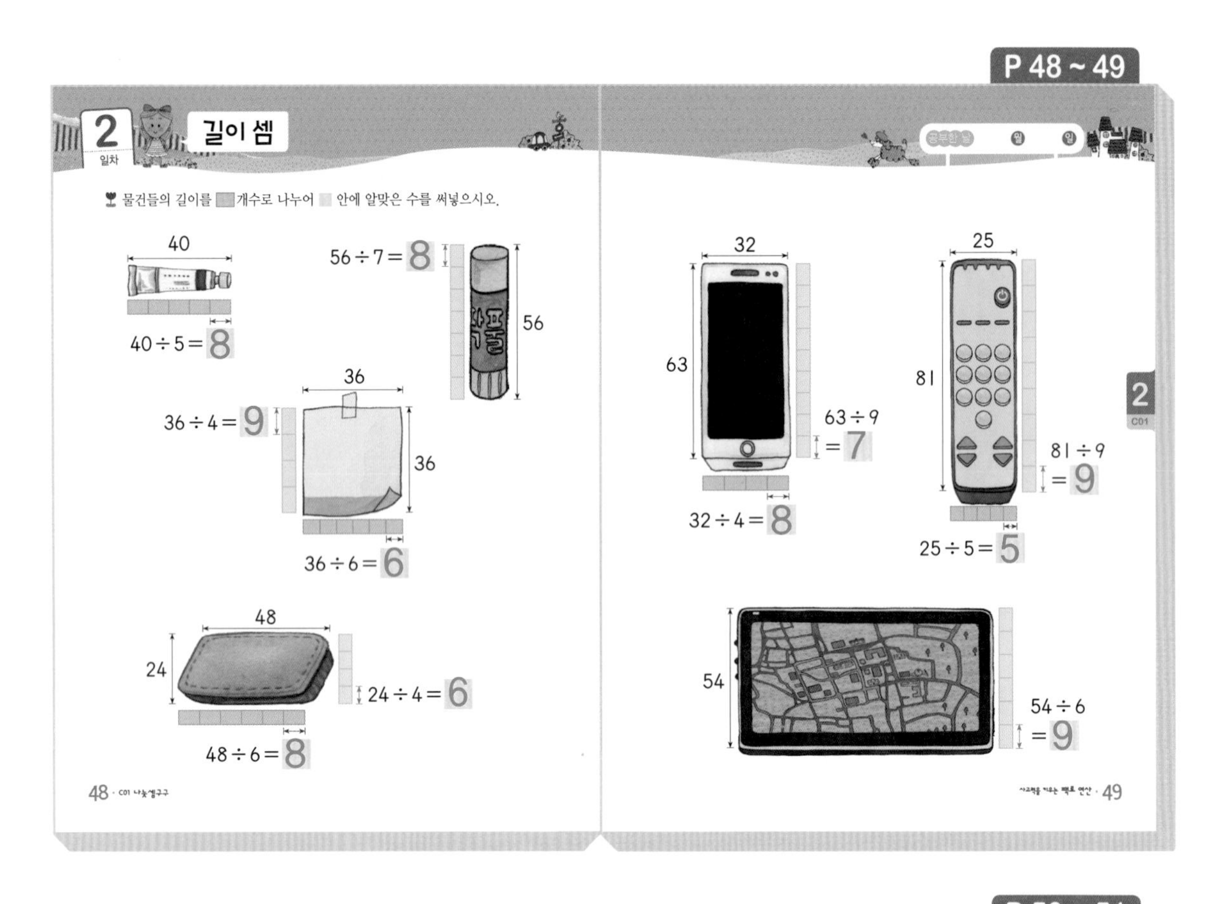

2 일차 길이 셈

물건들의 길이를 ▭개수로 나누어 ▭ 안에 알맞은 수를 써넣으시오.

40

$40 \div 5 = 8$

$56 \div 7 = 8$

56

36

$36 \div 4 = 9$

36

$36 \div 6 = 6$

48

24

$24 \div 4 = 6$

$48 \div 6 = 8$

32

63

$63 \div 9 = 7$

$32 \div 4 = 8$

25

81

$81 \div 9 = 9$

$25 \div 5 = 5$

54

$54 \div 6 = 9$

48 · C01 나눗셈구구

사고력을 키우는 빠른 연산 · 49

P 50 ~ 51

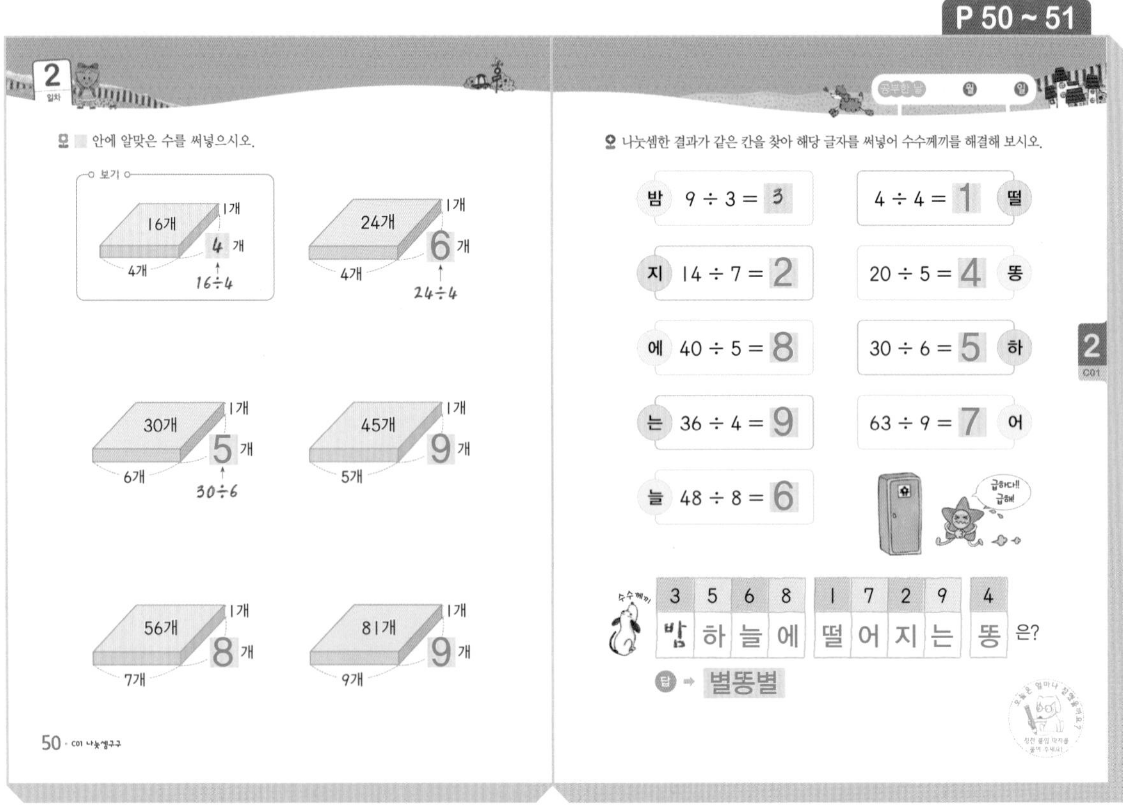

2 일차

▭ 안에 알맞은 수를 써넣으시오.

보기

16개, 1개, 4개, 4 개, 16÷4

24개, 1개, 4개, 6 개, 24÷4

30개, 1개, 6개, 5 개, 30÷6

45개, 1개, 5개, 9 개

56개, 1개, 7개, 8 개

81개, 1개, 9개, 9 개

나눗셈한 결과가 같은 칸을 찾아 해당 글자를 써넣어 수수께끼를 해결해 보시오.

밤	$9 \div 3 = 3$	$4 \div 4 = 1$	떨
지	$14 \div 7 = 2$	$20 \div 5 = 4$	똥
에	$40 \div 5 = 8$	$30 \div 6 = 5$	하
는	$36 \div 4 = 9$	$63 \div 9 = 7$	어
늘	$48 \div 8 = 6$		

수수께끼

3	5	6	8	1	7	2	9	4
밤	하	늘	에	떨	어	지	는	똥

은?

답 ➡ 별똥별

50 · C01 나눗셈구구

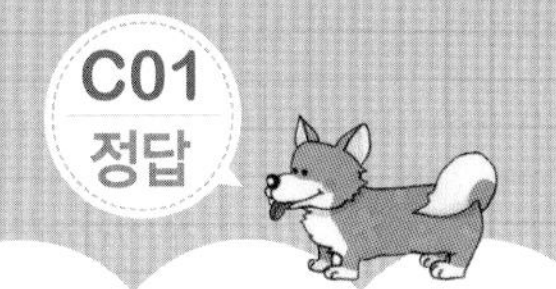
C01
정답

P 52 ~ 53

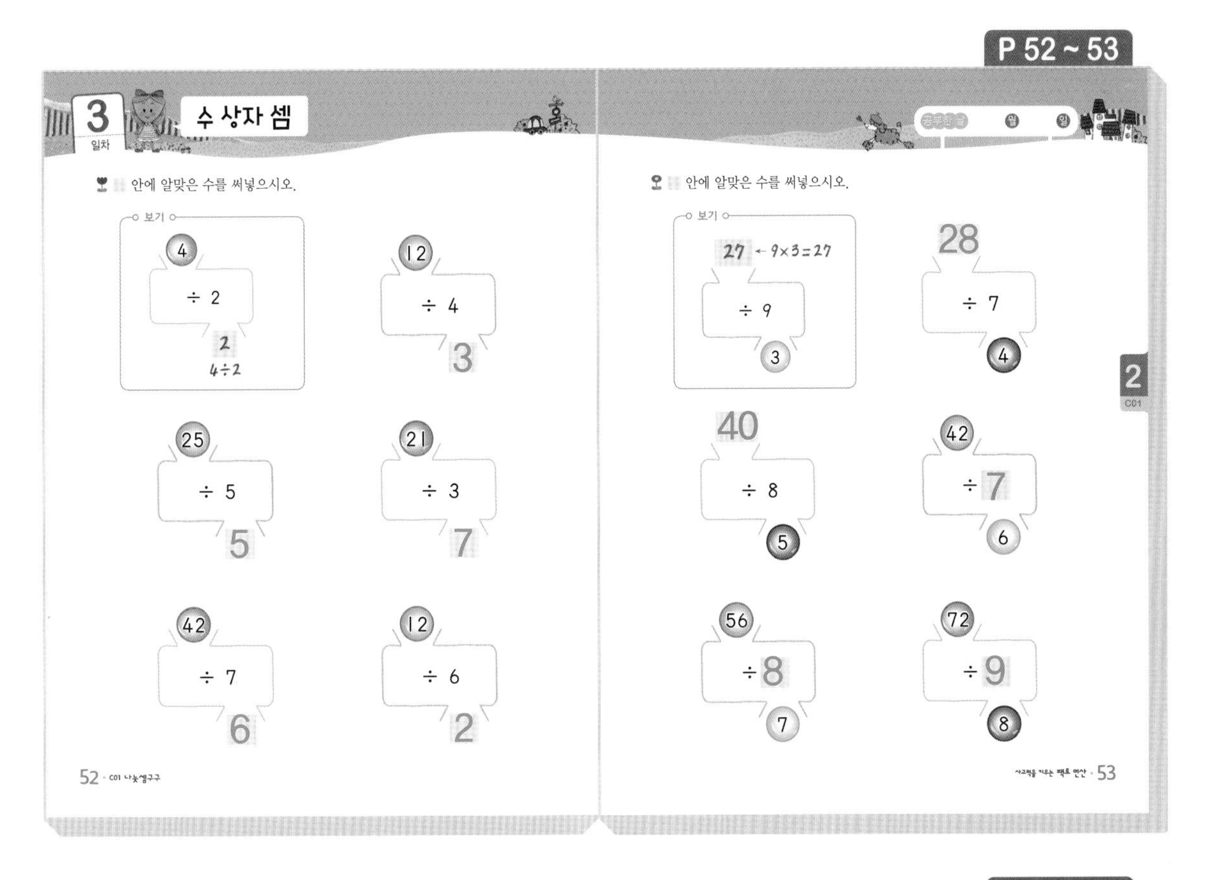
3 일차 수 상자 셈
안에 알맞은 수를 써넣으시오.
보기
4
÷ 2
2
4÷2
12
÷ 4
3
25
÷ 5
5
21
÷ 3
7
42
÷ 7
6
12
÷ 6
2
52 · C01 나눗셈구구
안에 알맞은 수를 써넣으시오.
보기
27 ← 9×3=27
÷ 9
3
28
÷ 7
4
40
÷ 8
5
42
÷ 7
6
56
÷ 8
7
72
÷ 9
8
사고력을 키우는 팩토 연산 · 53

P 54 ~ 55

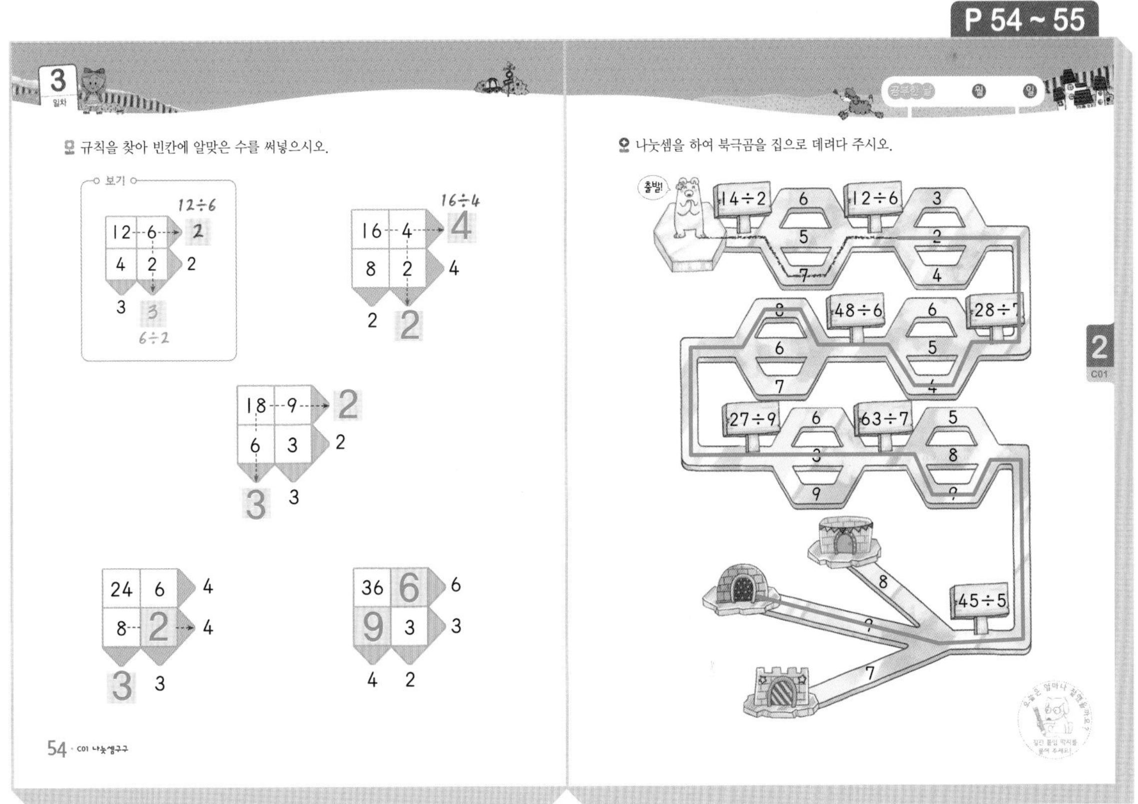
3 일차
규칙을 찾아 빈칸에 알맞은 수를 써넣으시오.
보기
12÷6
12 6 2
4 2 2
3 3
6÷2
16÷4
16 4 4
8 2 4
2 2
18 9 2
6 3 2
3 3
24 6 4
8 2 4
3 3
36 6 6
9 3 3
4 2
54 · C01 나눗셈구구
나눗셈을 하여 북극곰을 집으로 데려다 주시오.
출발!
14÷2
12÷6
48÷6
28÷7
27÷9
63÷7
45÷5

P 56 ~ 57

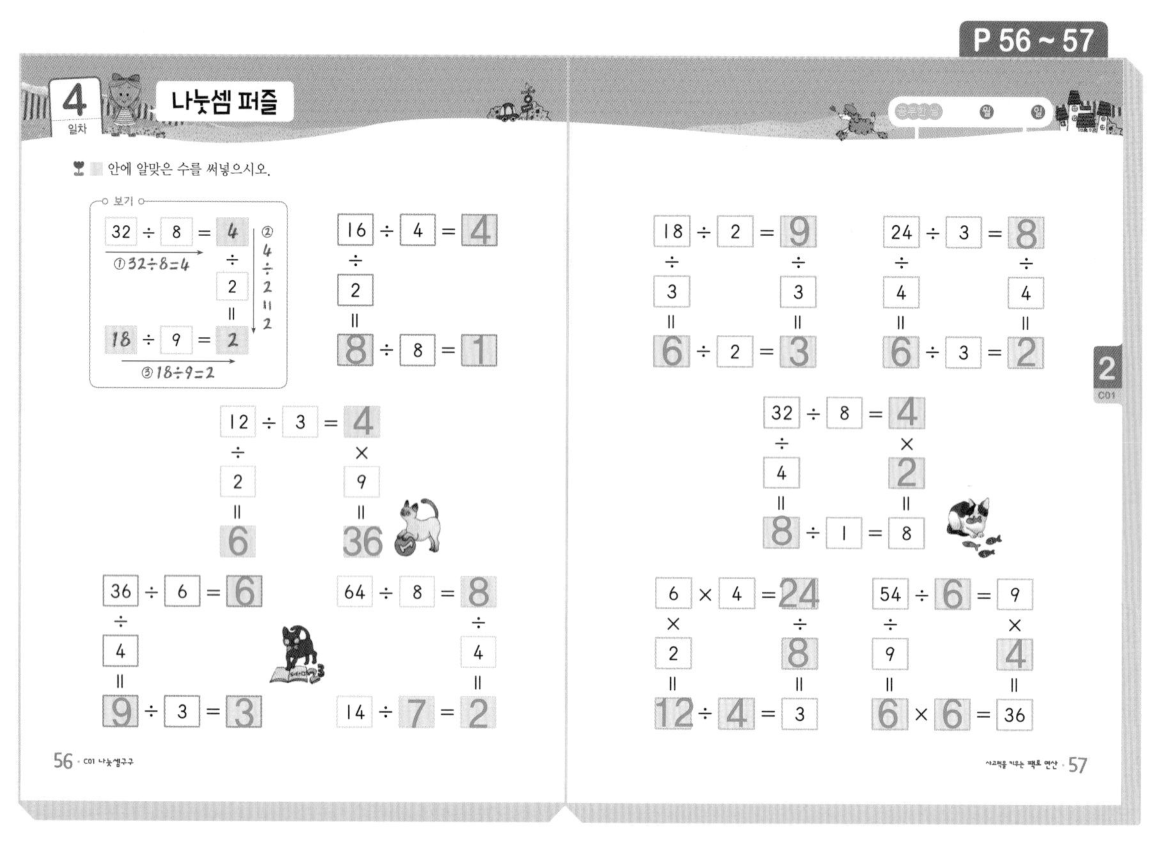

P 58 ~ 59

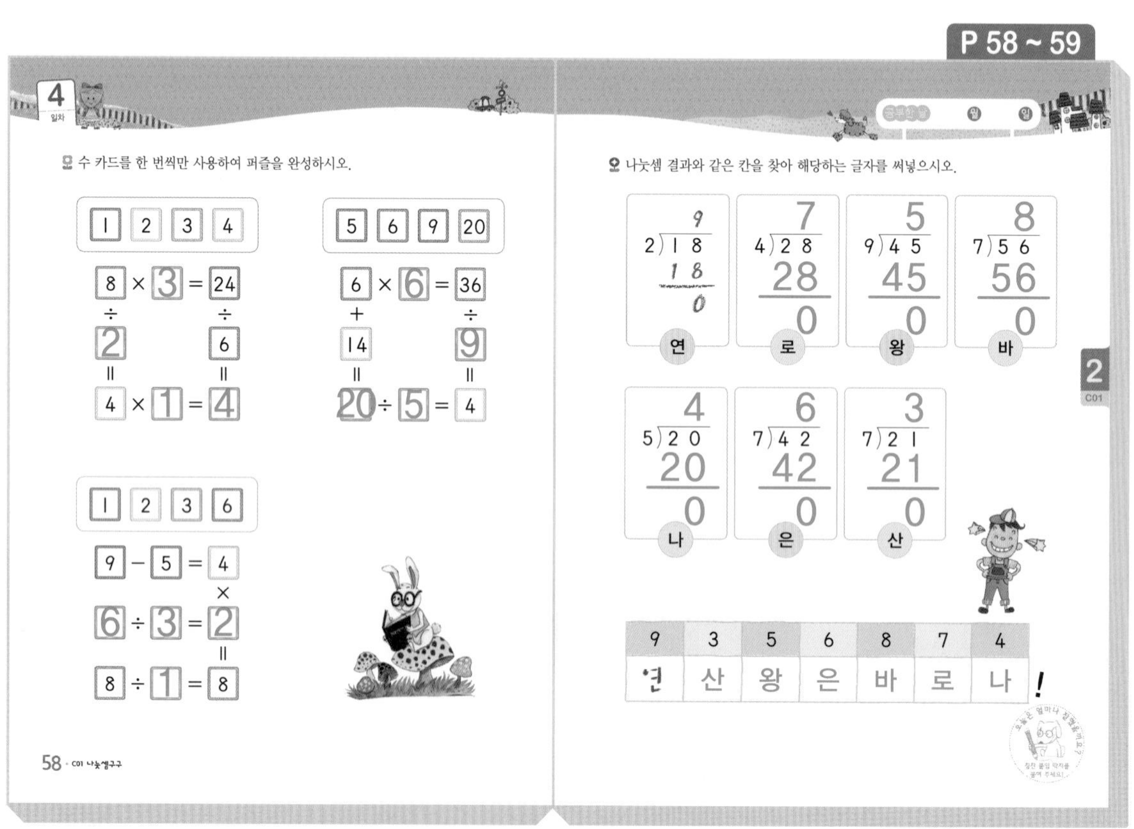

C01
정답

P 60 ~ 61

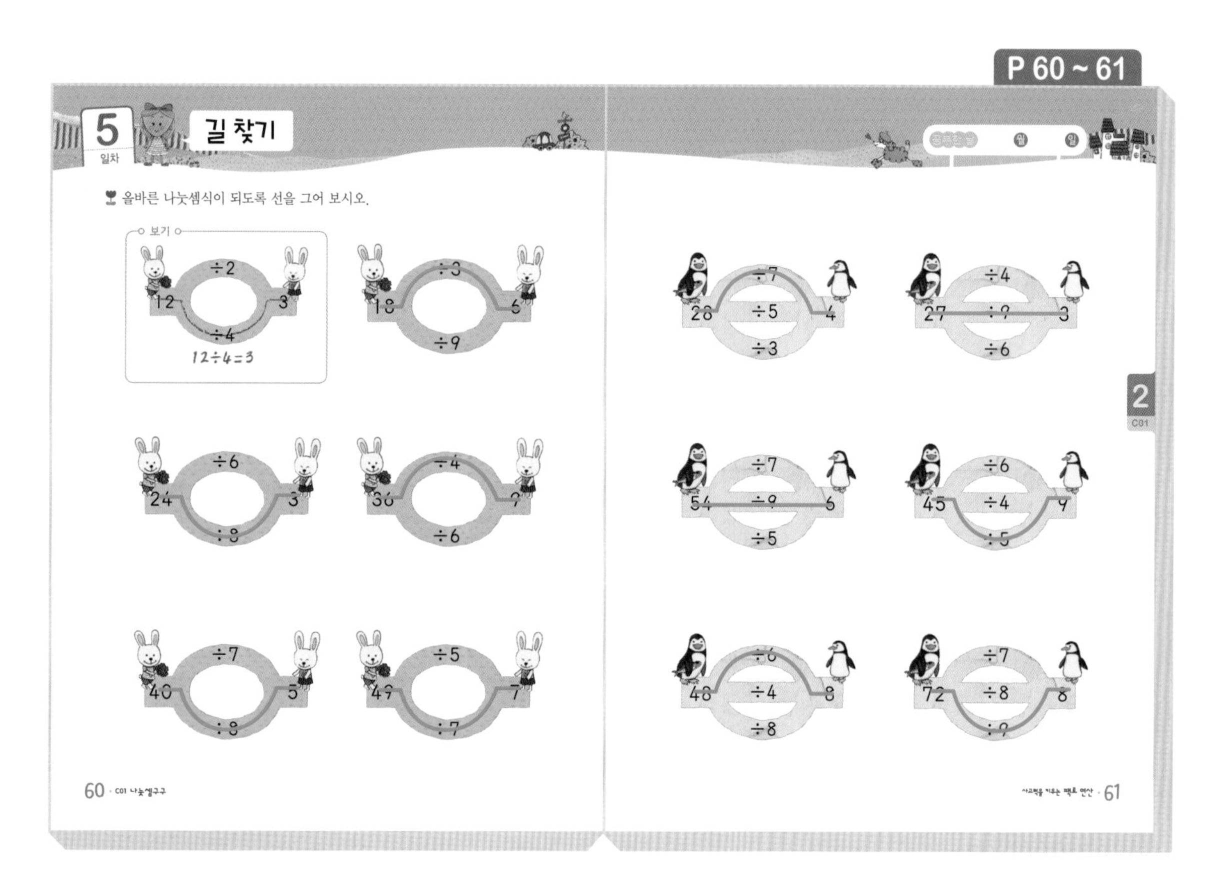
5 일차 길 찾기
올바른 나눗셈식이 되도록 선을 그어 보시오.
보기
÷2
12
3
÷4
12÷4=3
÷3
18
6
÷9
÷6
24
3
÷8
÷4
36
9
÷6
÷7
40
5
÷8
÷5
49
7
÷7
÷7
28
÷5
4
÷3
÷4
27
÷9
3
÷6
÷7
54
÷9
6
÷5
÷6
45
÷4
9
÷5
÷6
48
÷4
8
÷8
÷7
72
÷8
8
÷9
60 · C01 나눗셈구구
사고력을 키우는 팩토 연산 · 61

P 62 ~ 63

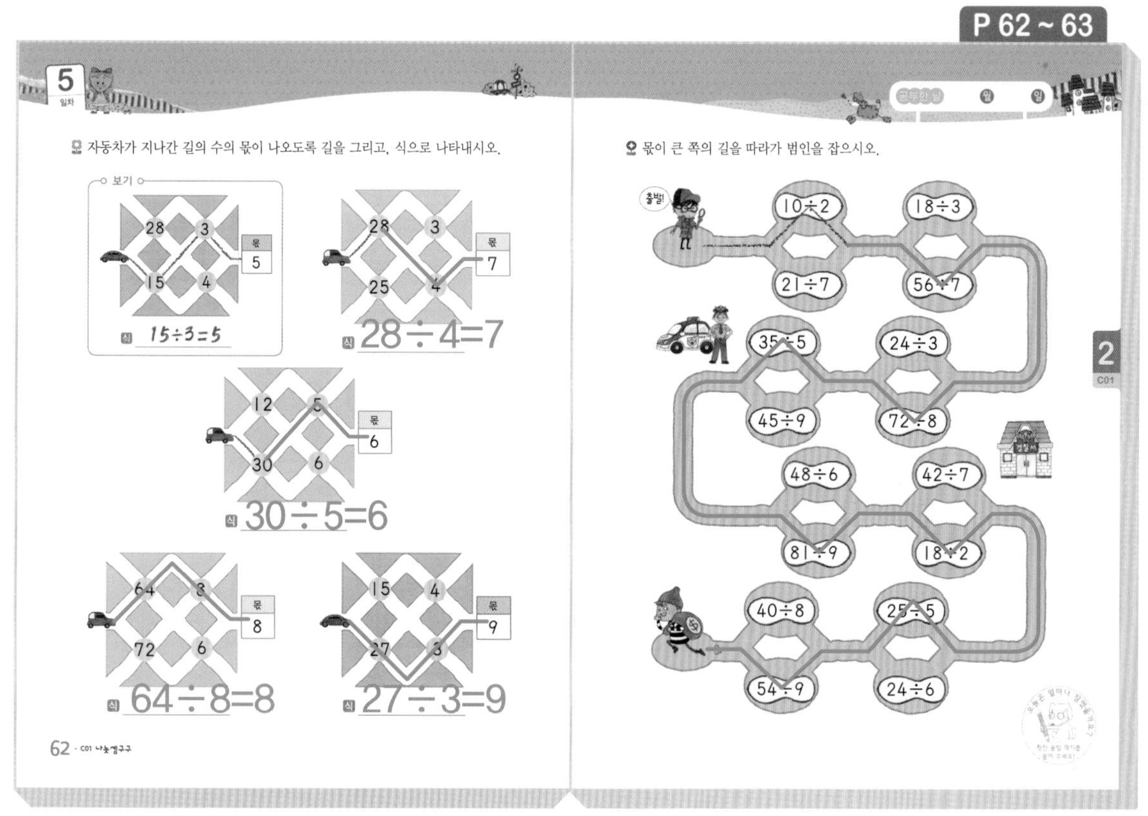
5 일차
자동차가 지나간 길의 수의 몫이 나오도록 길을 그리고, 식으로 나타내시오.
보기
28
3
15
4
몫
5
식 15÷3=5
28
3
25
4
몫
7
식 28÷4=7
12
5
30
6
몫
6
식 30÷5=6
64
8
72
6
몫
8
식 64÷8=8
15
4
27
3
몫
9
식 27÷3=9
62 · C01 나눗셈구구
몫이 큰 쪽의 길을 따라가 범인을 잡으시오.
출발!
10÷2
18÷3
21÷7
56÷7
35÷5
24÷3
45÷9
72÷8
48÷6
42÷7
81÷9
18÷2
40÷8
25÷5
54÷9
24÷6

P 66 ~ 67

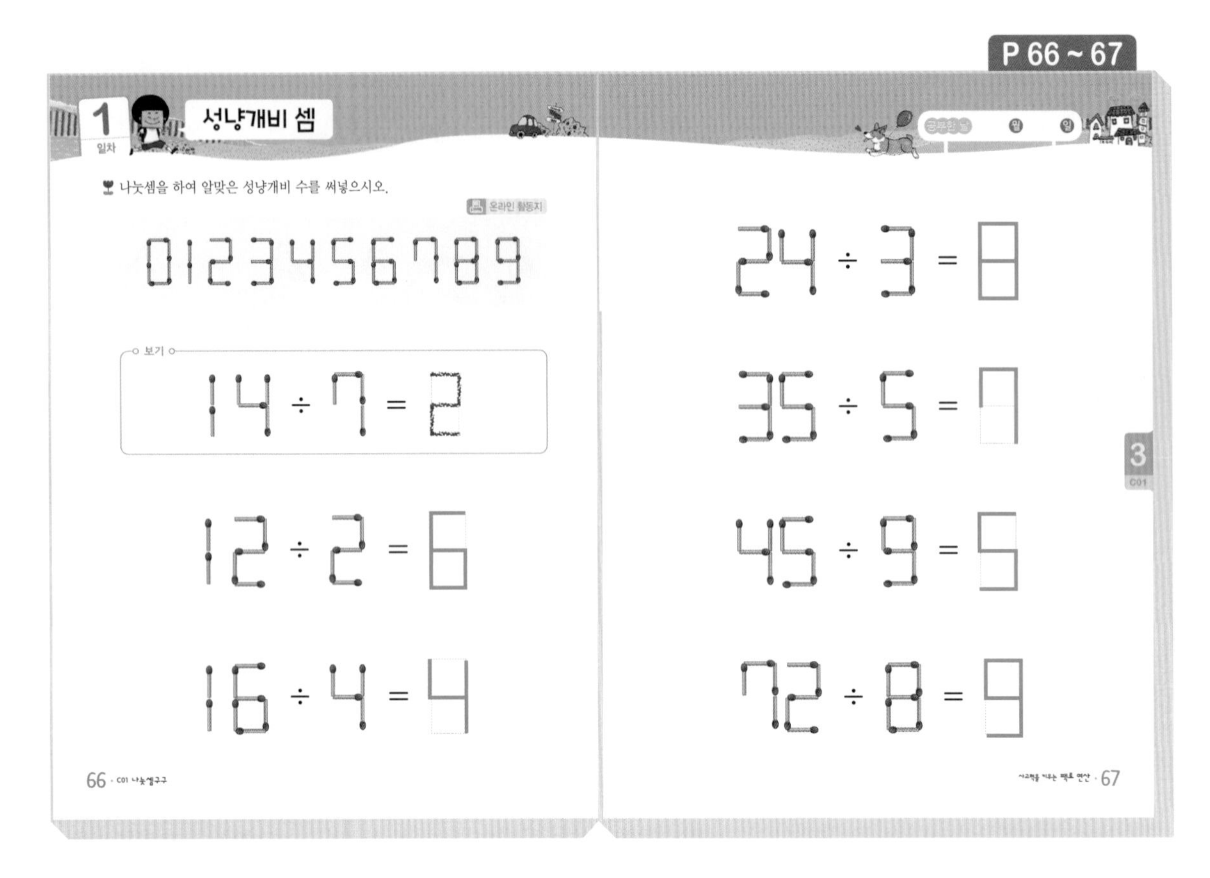
1 일차
성냥개비 셈
나눗셈을 하여 알맞은 성냥개비 수를 써넣으시오.
온라인 활동지
0123456789
보기
14÷7=2
12÷2=6
16÷4=4
24÷3=8
35÷5=7
45÷9=5
72÷8=9
66 · C01 나눗셈구구
67

P 68 ~ 69

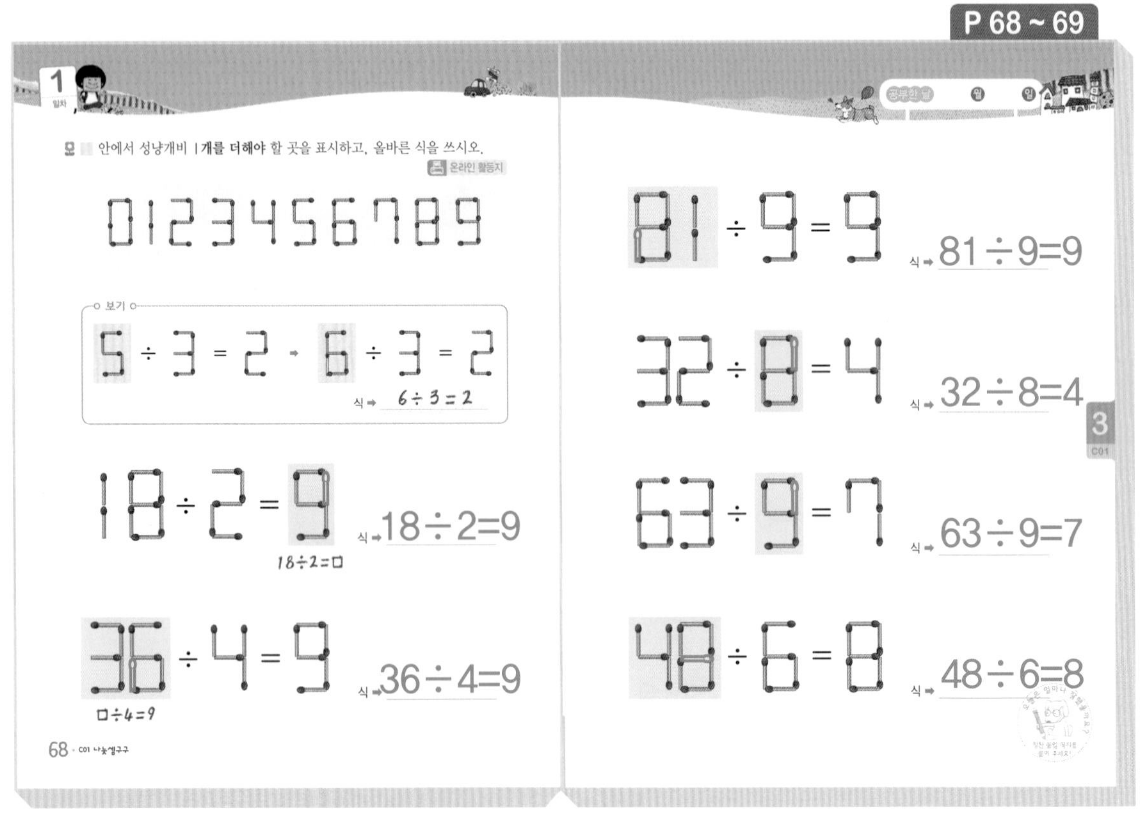
1 일차
안에서 성냥개비 1개를 더해야 할 곳을 표시하고, 올바른 식을 쓰시오.
온라인 활동지
0123456789
보기
5÷3=2 → 6÷3=2
식 → 6÷3=2
18÷2=9
18÷2=□
식 → 18÷2=9
36÷4=9
□÷4=9
식 → 36÷4=9
81÷9=9
식 → 81÷9=9
32÷8=4
식 → 32÷8=4
63÷9=7
식 → 63÷9=7
48÷6=8
식 → 48÷6=8
68 · C01 나눗셈구구

C01
정답

P 70 ~ 71

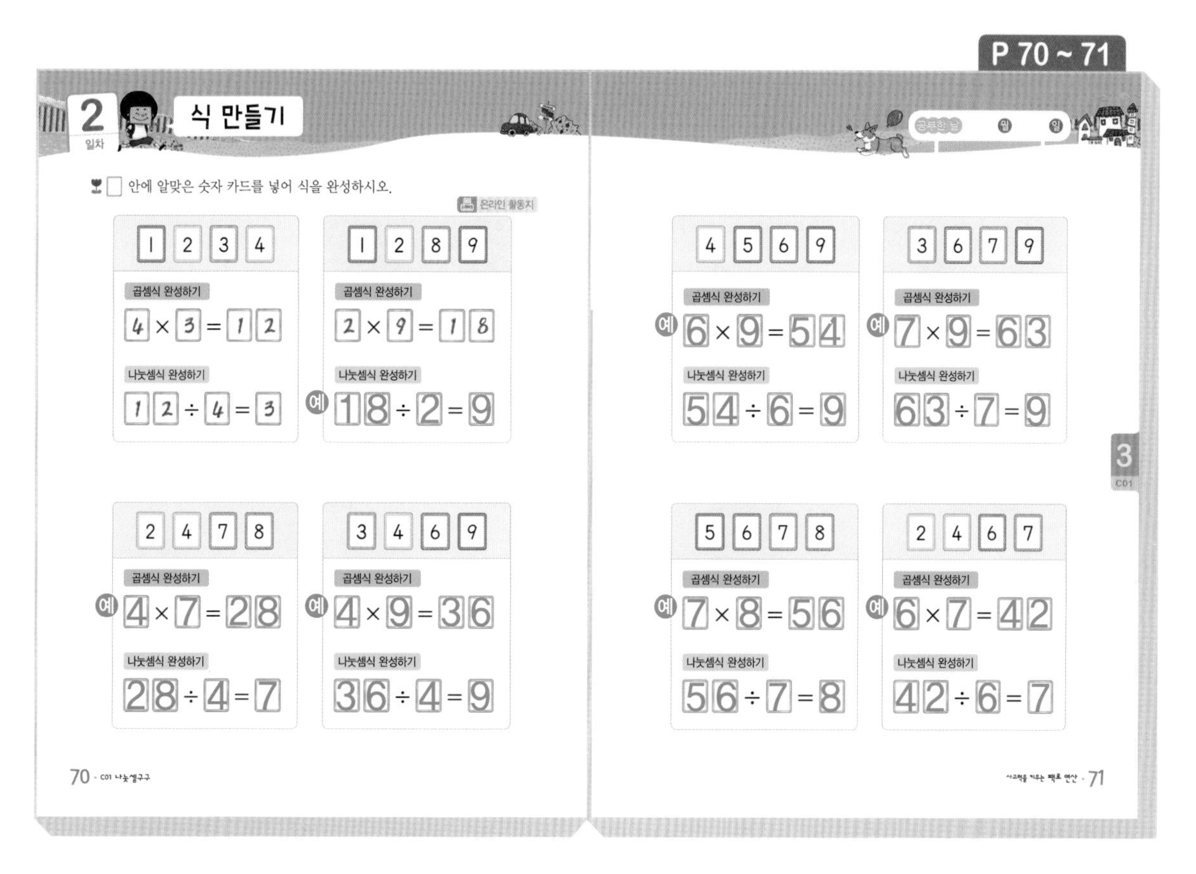
2 일차 식 만들기
□ 안에 알맞은 숫자 카드를 넣어 식을 완성하시오.
1 2 3 4
곱셈식 완성하기
4 × 3 = 12
나눗셈식 완성하기
12 ÷ 4 = 3
1 2 8 9
곱셈식 완성하기
2 × 9 = 18
나눗셈식 완성하기
예 18 ÷ 2 = 9
2 4 7 8
곱셈식 완성하기
예 4 × 7 = 28
나눗셈식 완성하기
28 ÷ 4 = 7
3 4 6 9
곱셈식 완성하기
예 4 × 9 = 36
나눗셈식 완성하기
36 ÷ 4 = 9
4 5 6 9
곱셈식 완성하기
예 6 × 9 = 54
나눗셈식 완성하기
54 ÷ 6 = 9
3 6 7 9
곱셈식 완성하기
예 7 × 9 = 63
나눗셈식 완성하기
63 ÷ 7 = 9
5 6 7 8
곱셈식 완성하기
예 7 × 8 = 56
나눗셈식 완성하기
56 ÷ 7 = 8
2 4 6 7
곱셈식 완성하기
예 6 × 7 = 42
나눗셈식 완성하기
42 ÷ 6 = 7
70
71

P 72 ~ 73

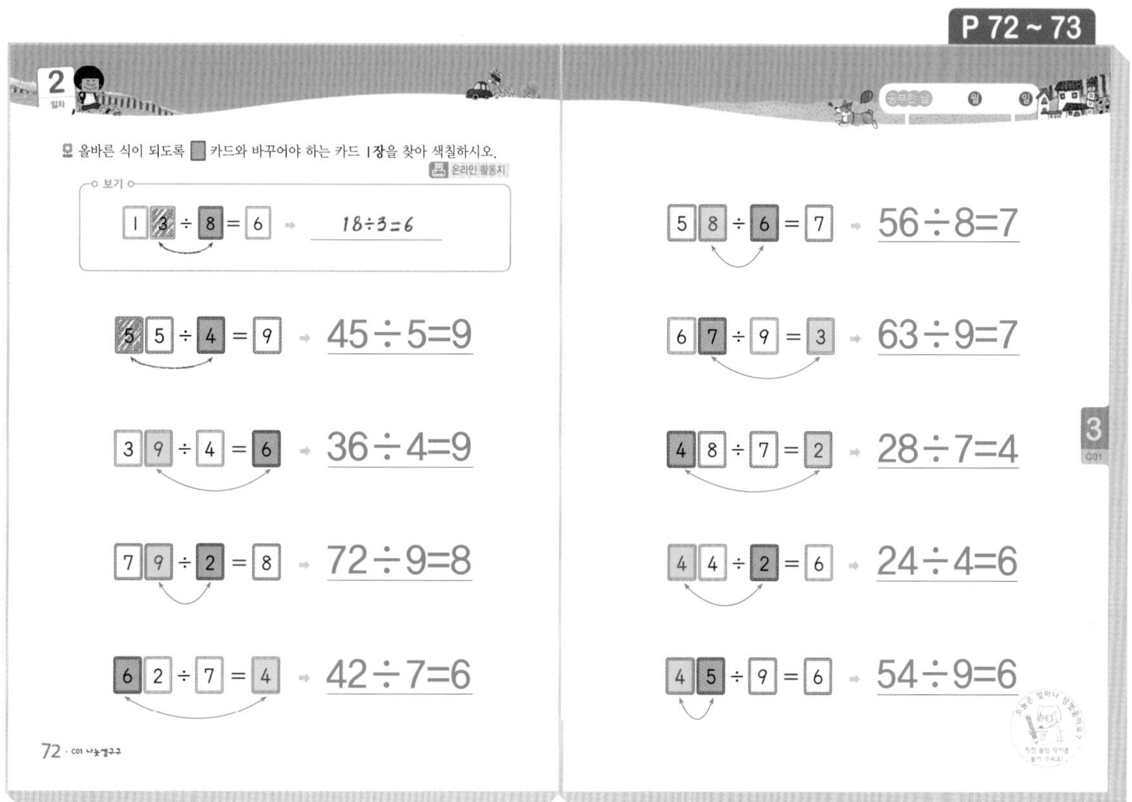
올바른 식이 되도록 카드와 바꾸어야 하는 카드 1장을 찾아 색칠하시오.
보기
13 ÷ 8 = 6 → 18÷3=6
55 ÷ 4 = 9 → 45÷5=9
39 ÷ 4 = 6 → 36÷4=9
79 ÷ 2 = 8 → 72÷9=8
62 ÷ 7 = 4 → 42÷7=6
58 ÷ 6 = 7 → 56÷8=7
67 ÷ 9 = 3 → 63÷9=7
48 ÷ 7 = 2 → 28÷7=4
44 ÷ 2 = 6 → 24÷4=6
45 ÷ 9 = 6 → 54÷9=6
72

P 74 ~ 75

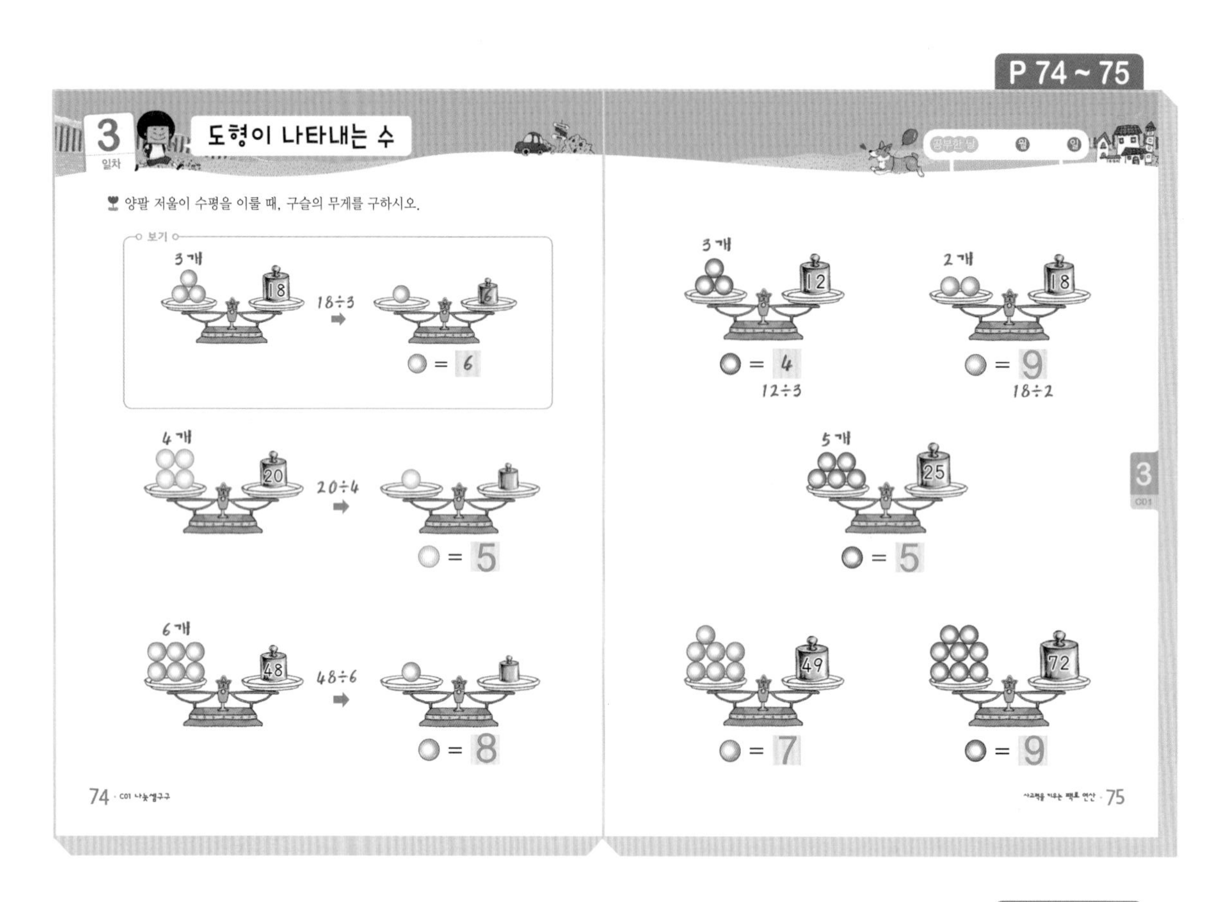
3 일차
도형이 나타내는 수
양팔 저울이 수평을 이룰 때, 구슬의 무게를 구하시오.
보기
3개
18
18÷3
6
= 6
4개
20
20÷4
= 5
6개
48
48÷6
= 8
74 · C01 나눗셈구구
3개
12
= 4
12÷3
2개
18
= 9
18÷2
5개
25
= 5
49
= 7
72
= 9
75

P 76 ~ 77

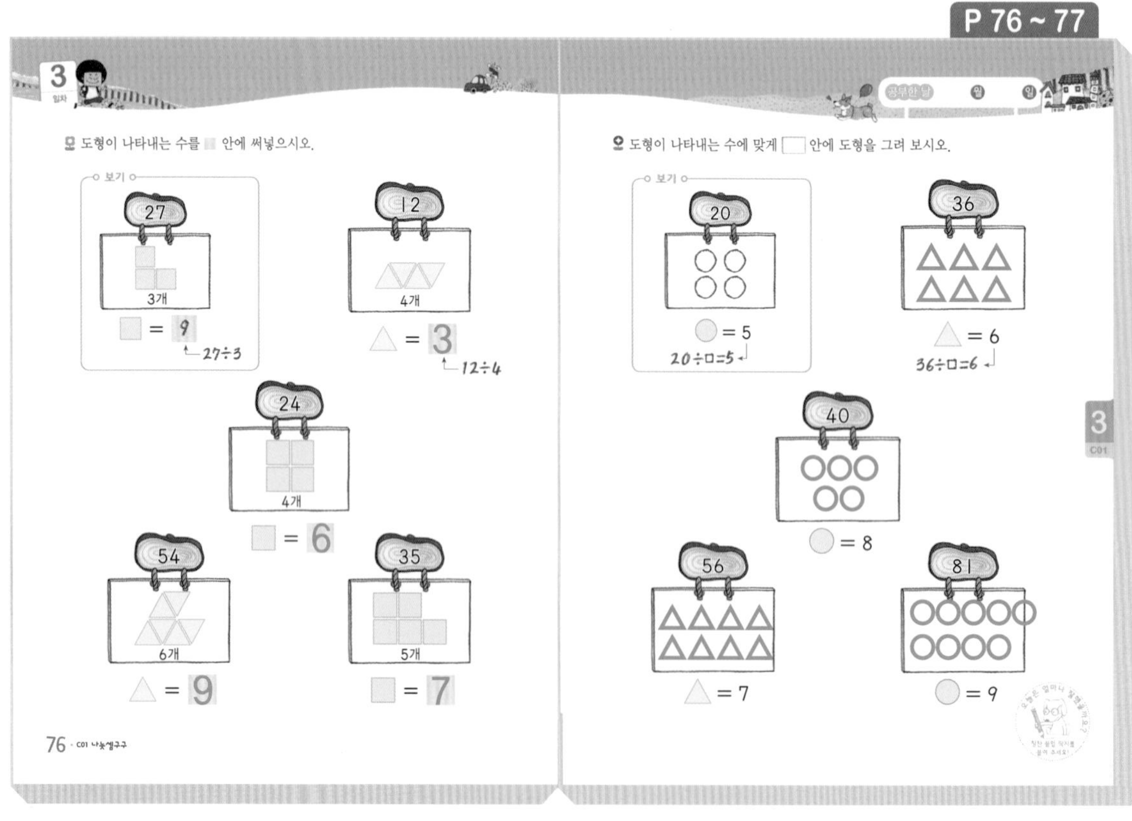
3 일차
도형이 나타내는 수를 안에 써넣으시오.
보기
27
3개
= 9
27÷3
12
4개
= 3
12÷4
24
4개
= 6
54
6개
= 9
35
5개
= 7
76 · C01 나눗셈구구
도형이 나타내는 수에 맞게 안에 도형을 그려 보시오.
보기
20
= 5
20÷□=5
36
= 6
36÷□=6
40
= 8
56
= 7
81
= 9

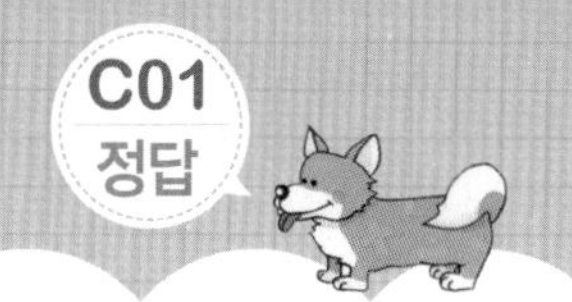
C01
정답

P 78 ~ 79

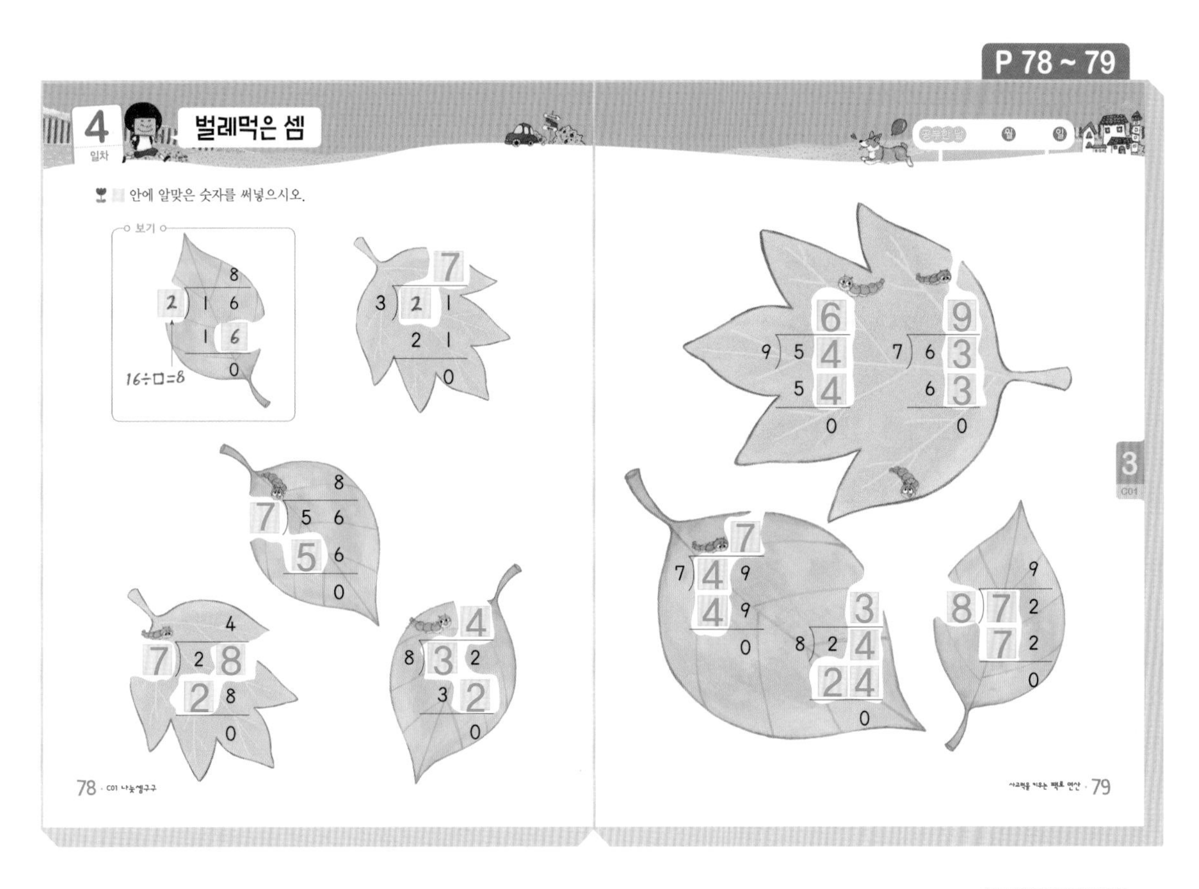
4 일차
벌레먹은 셈
안에 알맞은 숫자를 써넣으시오.
보기
16÷□=8

P 80 ~ 81

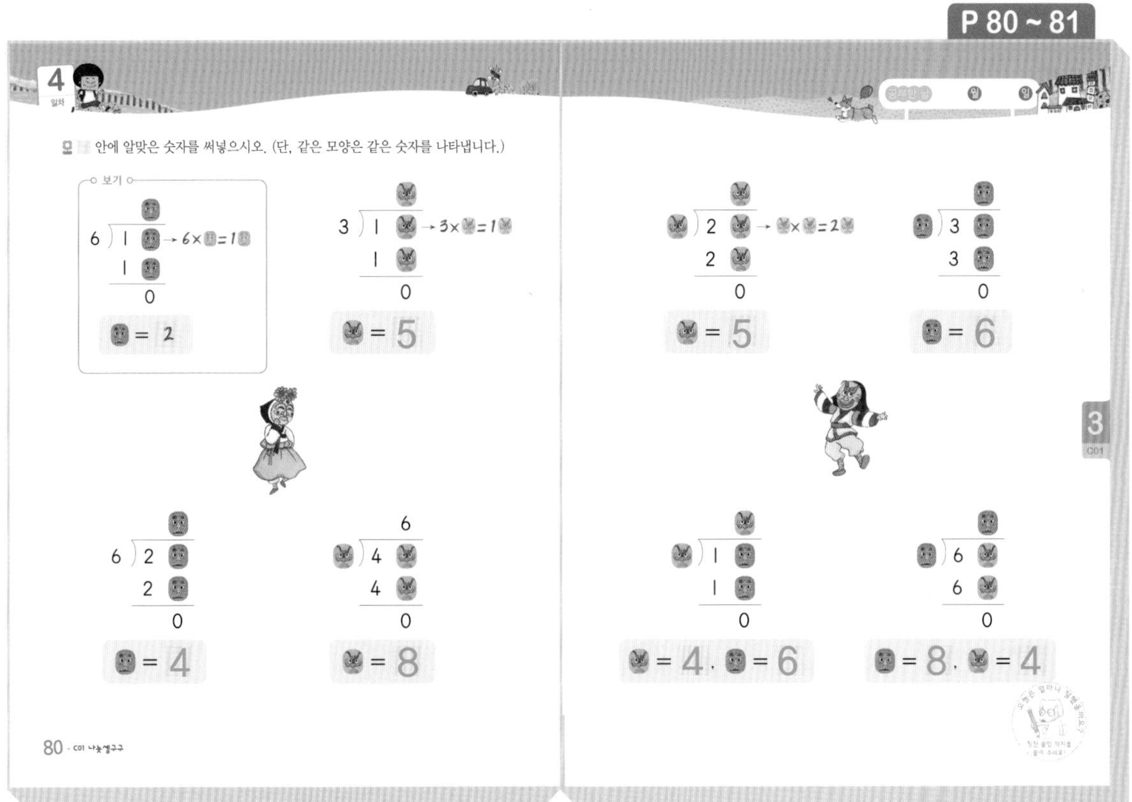
안에 알맞은 숫자를 써넣으시오. (단, 같은 모양은 같은 숫자를 나타냅니다.)
보기
= 2
= 5
= 5
= 6
= 4
= 8
= 4, = 6
= 8, = 4

P 82 ~ 83

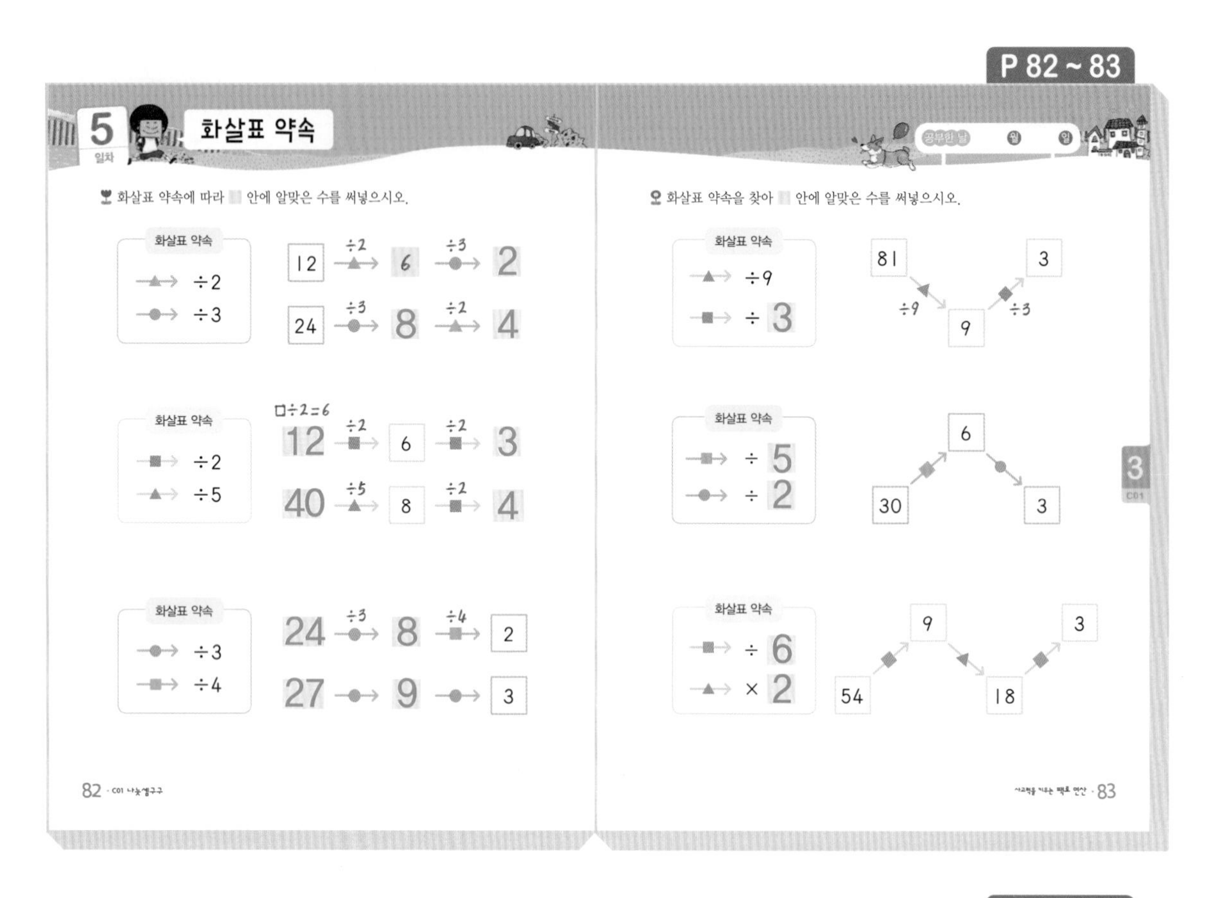
화살표 약속
화살표 약속에 따라 안에 알맞은 수를 써넣으시오.
화살표 약속을 찾아 안에 알맞은 수를 써넣으시오.
82 · C01 나눗셈구구
83

P 84 ~ 85

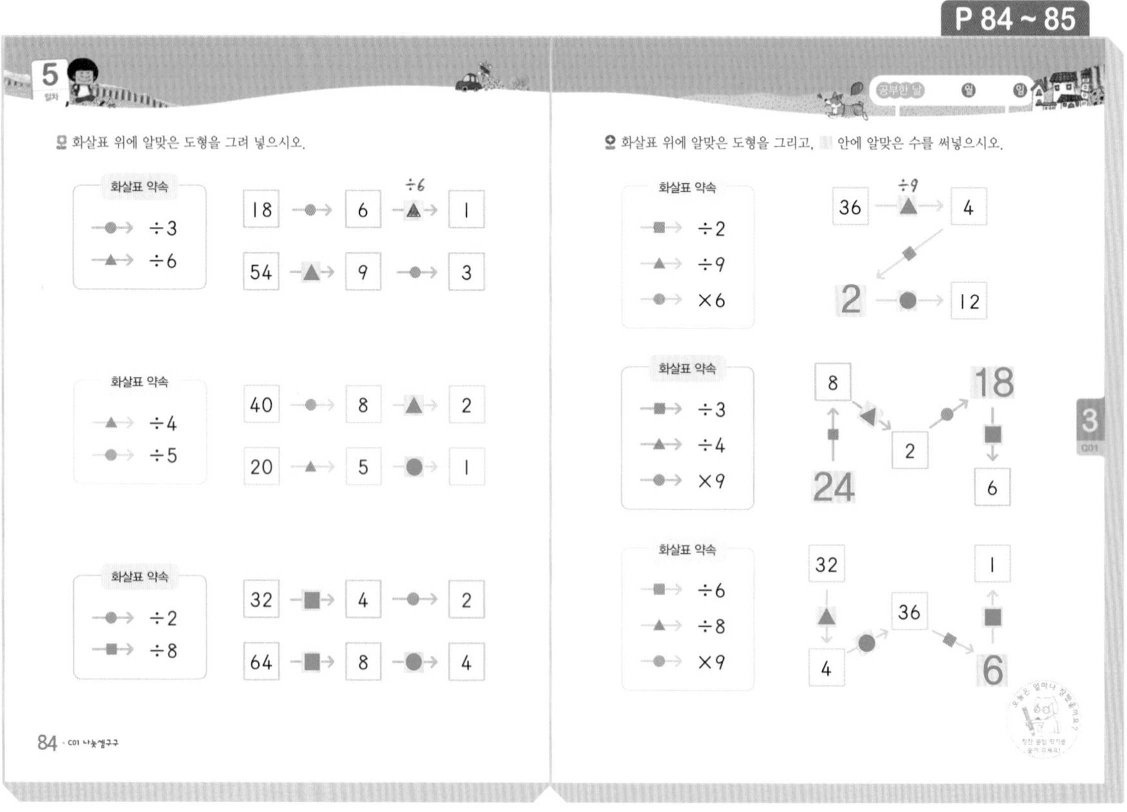
화살표 위에 알맞은 도형을 그려 넣으시오.
화살표 위에 알맞은 도형을 그리고, 안에 알맞은 수를 써넣으시오.
84 · C01 나눗셈구구

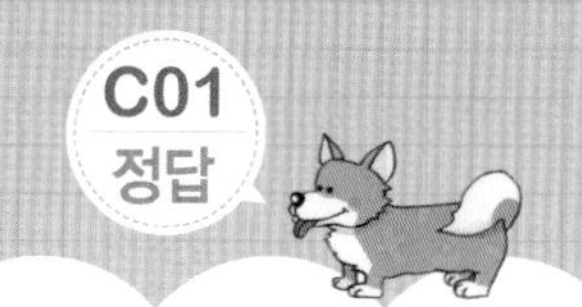
C01
정답

P 88 ~ 89

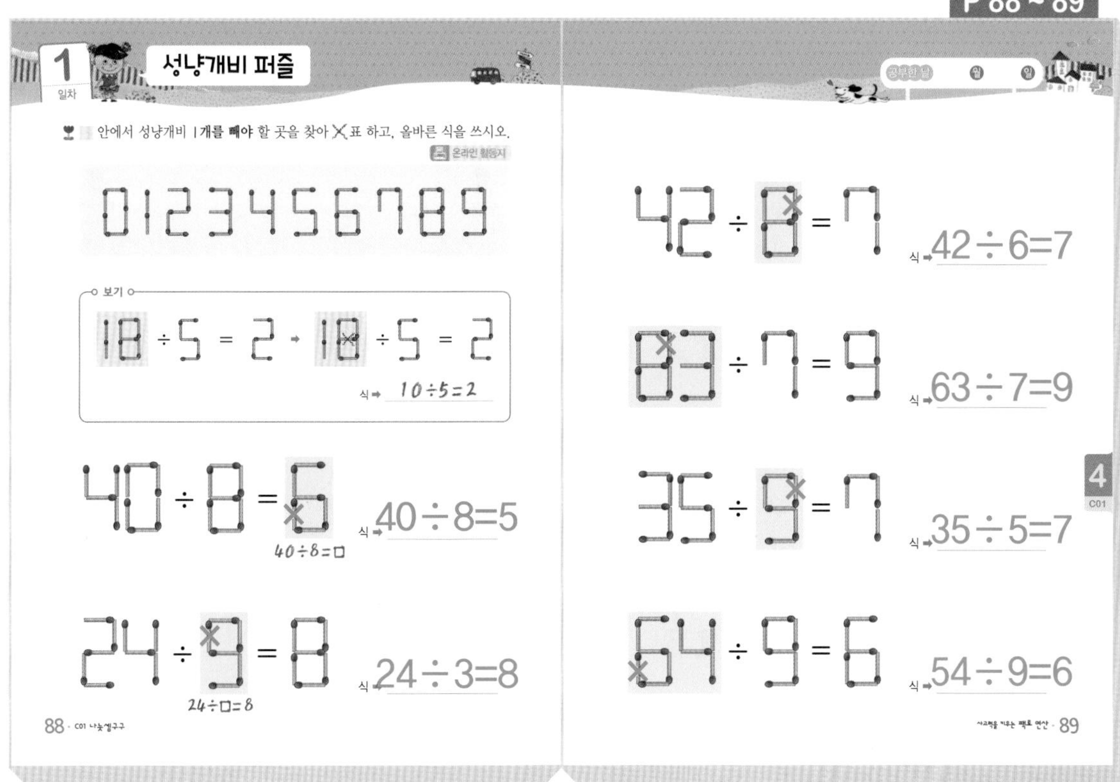
1 일차
성냥개비 퍼즐
안에서 성냥개비 1개를 빼야 할 곳을 찾아 ╳표 하고, 올바른 식을 쓰시오.
온라인 활동지
보기
식 ➡ 10÷5=2
40÷8=□
식 ➡ 40÷8=5
24÷□=8
식 ➡ 24÷3=8
식 ➡ 42÷6=7
식 ➡ 63÷7=9
식 ➡ 35÷5=7
식 ➡ 54÷9=6
88 · C01 나눗셈구구
89

P 90 ~ 91

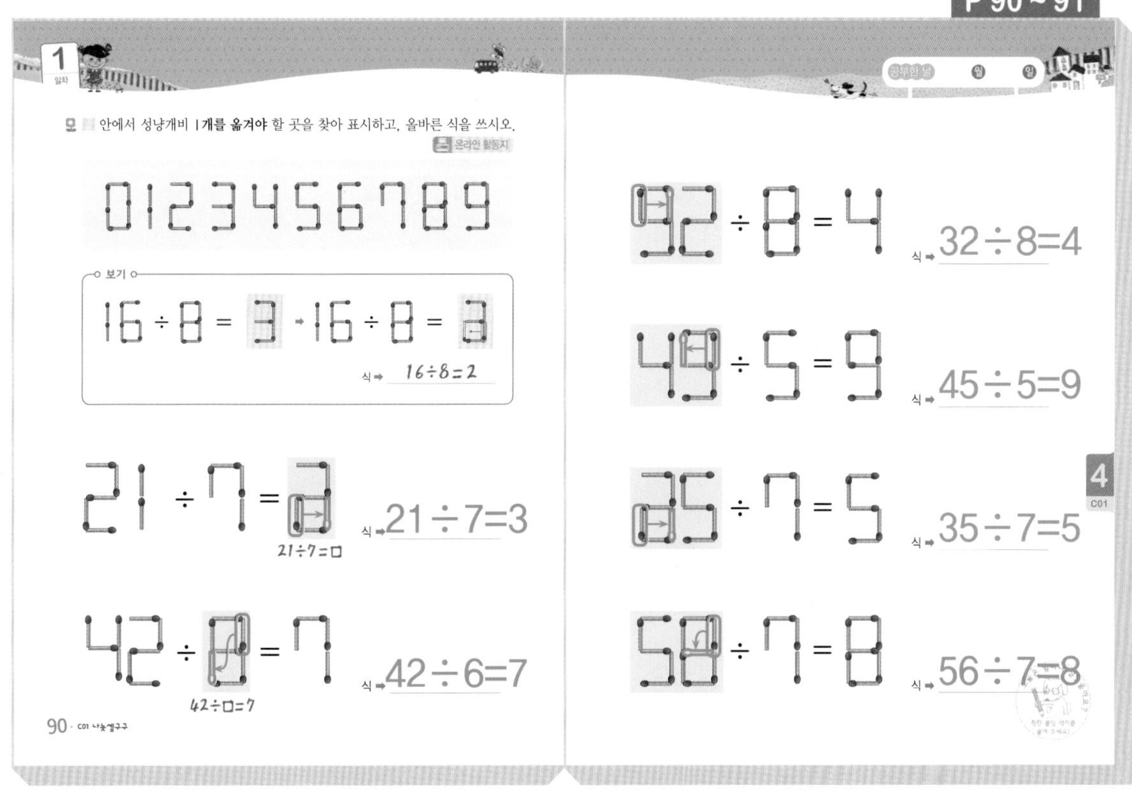
1 일차
안에서 성냥개비 1개를 옮겨야 할 곳을 찾아 표시하고, 올바른 식을 쓰시오.
온라인 활동지
보기
식 ➡ 16÷8=2
21÷7=□
식 ➡ 21÷7=3
42÷□=7
식 ➡ 42÷6=7
식 ➡ 32÷8=4
식 ➡ 45÷5=9
식 ➡ 35÷7=5
식 ➡ 56÷7=8
90 · C01 나눗셈구구

P 92 ~ 93

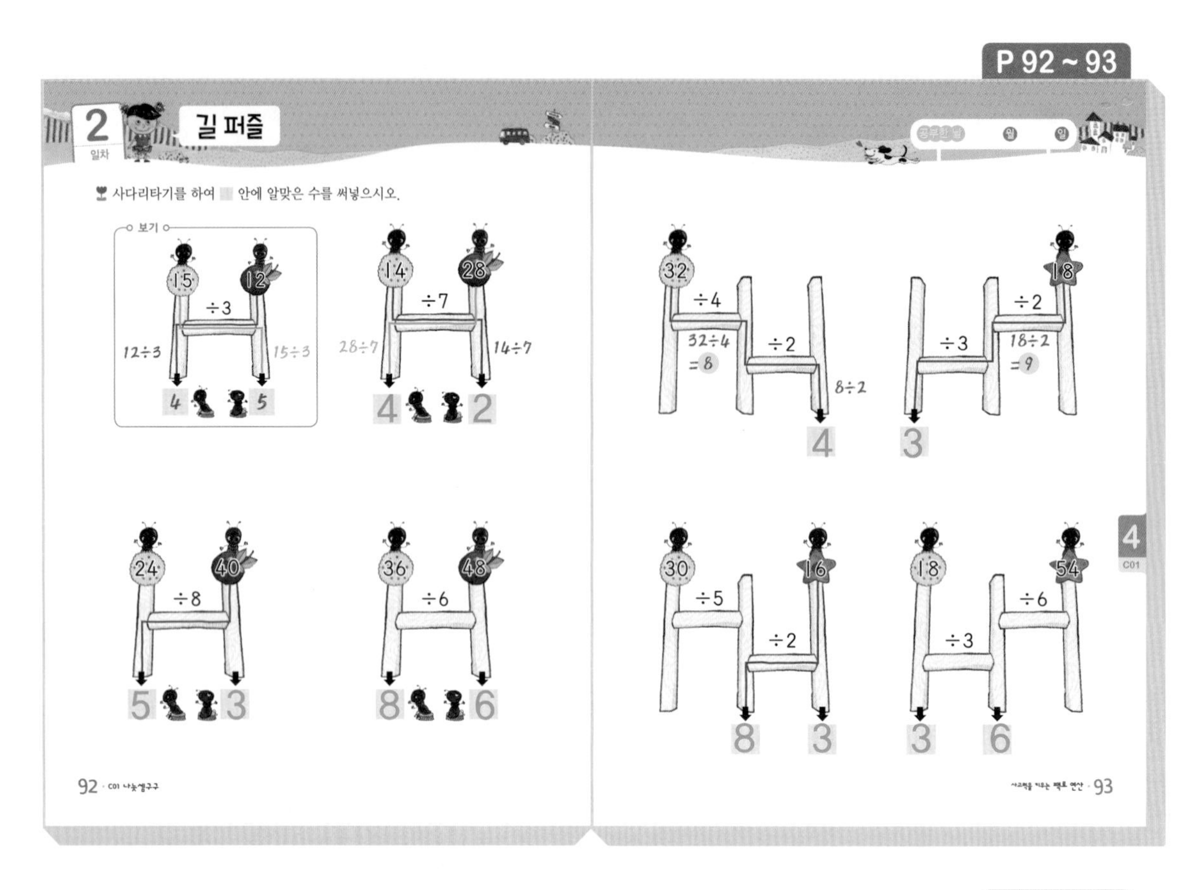
2 일차 길 퍼즐
사다리타기를 하여 안에 알맞은 수를 써넣으시오.
보기
15 12 ÷3 12÷3 15÷3 4 5
14 28 ÷7 28÷7 14÷7 4 2
24 40 ÷8 5 3
36 48 ÷6 8 6
32 ÷4 32÷4 =8 ÷2 8÷2 4
18 ÷2 18÷2 =9 ÷3 3
30 ÷5 ÷2 16 8 3
18 ÷3 ÷6 54 3 6
92 C01 나눗셈구구
93

P 94 ~ 95

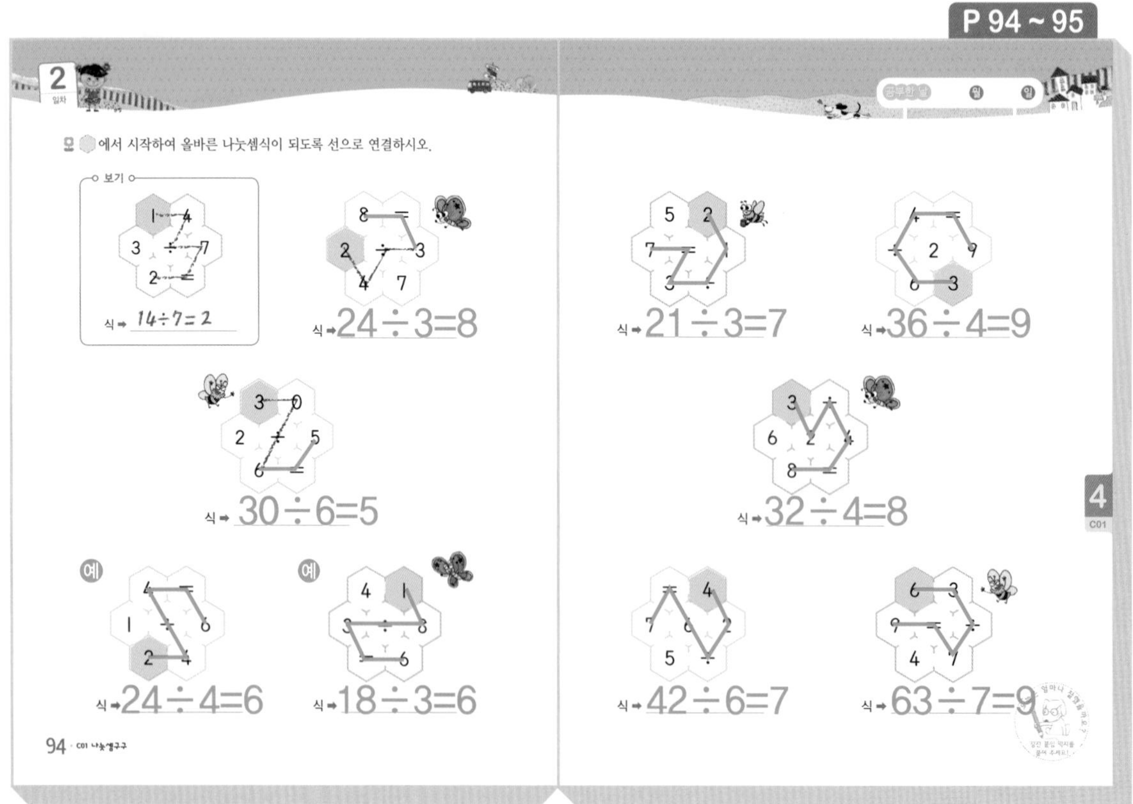
2 일차
에서 시작하여 올바른 나눗셈식이 되도록 선으로 연결하시오.
보기
식 ➡ 14÷7=2
식 ➡ 24÷3=8
식 ➡ 30÷6=5
예 식 ➡ 24÷4=6
예 식 ➡ 18÷3=6
식 ➡ 21÷3=7
식 ➡ 36÷4=9
식 ➡ 32÷4=8
식 ➡ 42÷6=7
식 ➡ 63÷7=9
94 C01 나눗셈구구

P 96 ~ 97

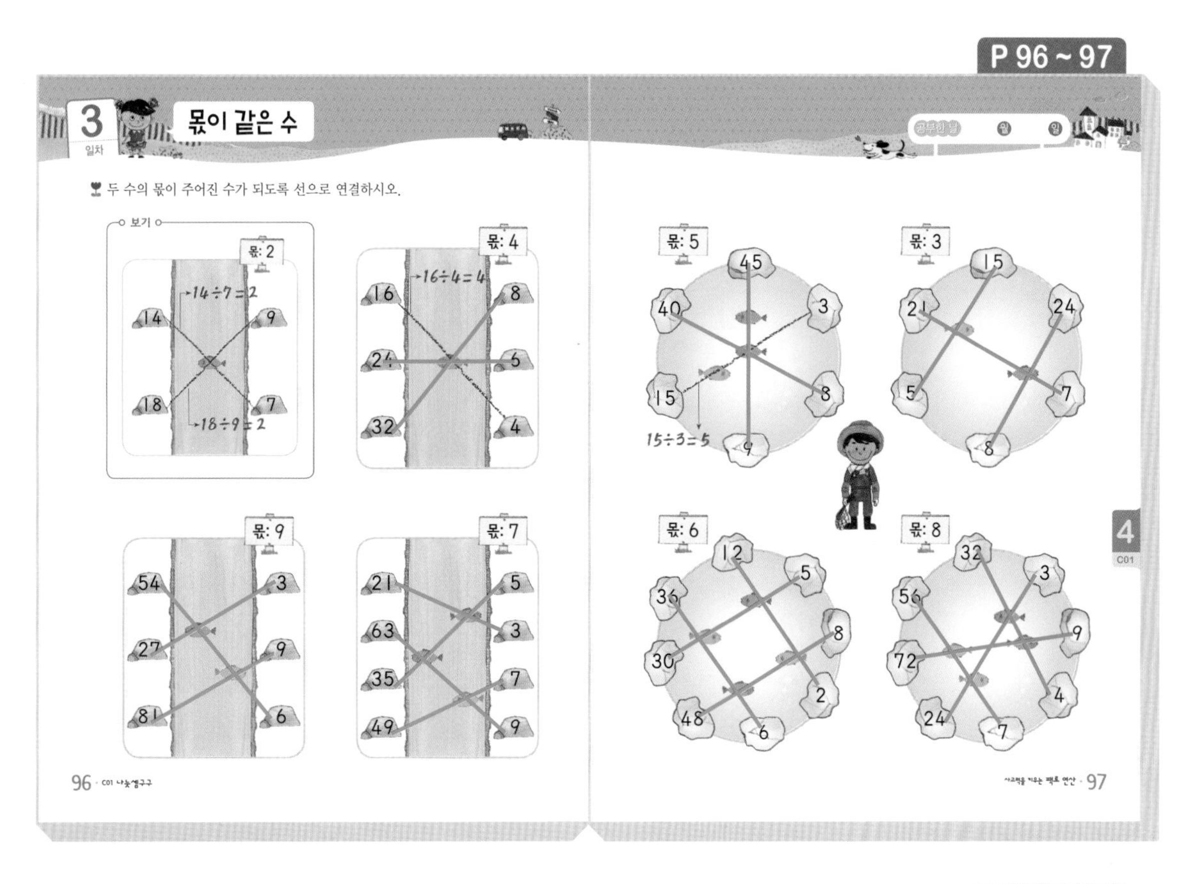
3 일차 몫이 같은 수
두 수의 몫이 주어진 수가 되도록 선으로 연결하시오.
보기
몫: 2
14÷7=2
18÷9=2
몫: 4
16÷4=4
몫: 9
몫: 7
몫: 5
15÷3=5
몫: 3
몫: 6
몫: 8
96 · C01 나눗셈구구
사고력을 키우는 팩토 연산 · 97

P 98 ~ 99

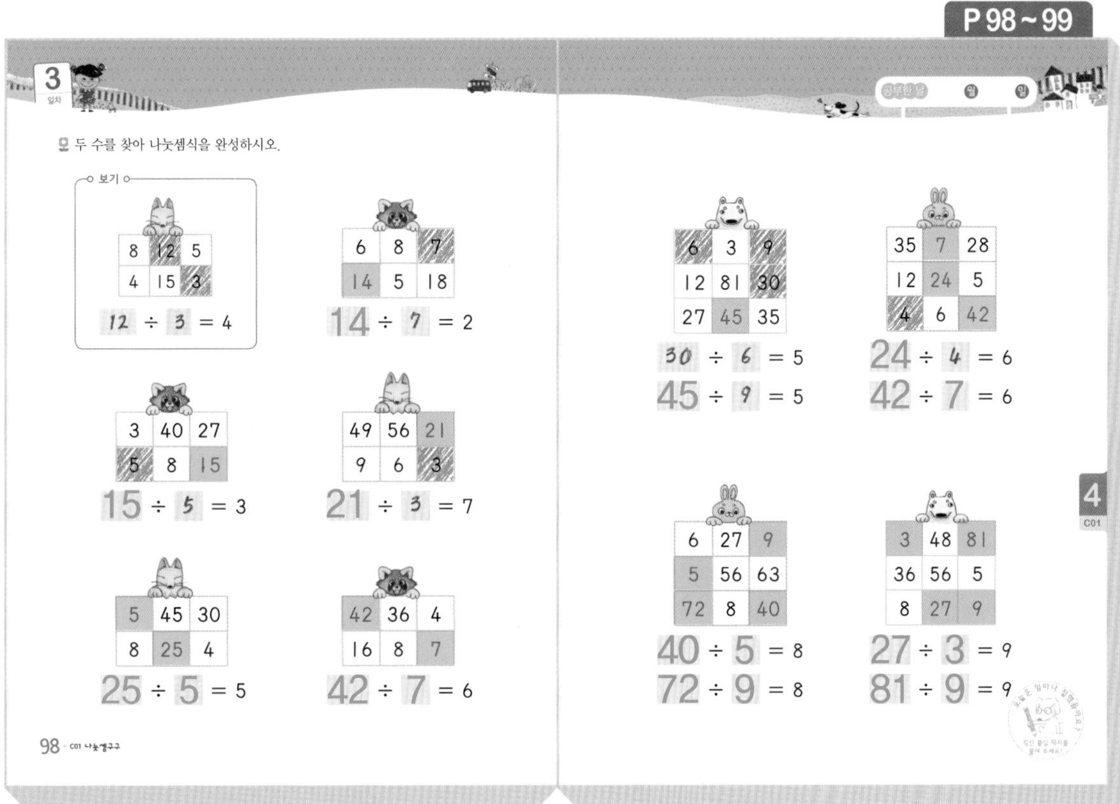
3 일차
두 수를 찾아 나눗셈식을 완성하시오.
보기
12 ÷ 3 = 4
14 ÷ 7 = 2
15 ÷ 5 = 3
21 ÷ 3 = 7
25 ÷ 5 = 5
42 ÷ 7 = 6
30 ÷ 6 = 5
45 ÷ 9 = 5
24 ÷ 4 = 6
42 ÷ 7 = 6
40 ÷ 5 = 8
72 ÷ 9 = 8
27 ÷ 3 = 9
81 ÷ 9 = 9
98 · C01 나눗셈구구

P 100 ~ 101

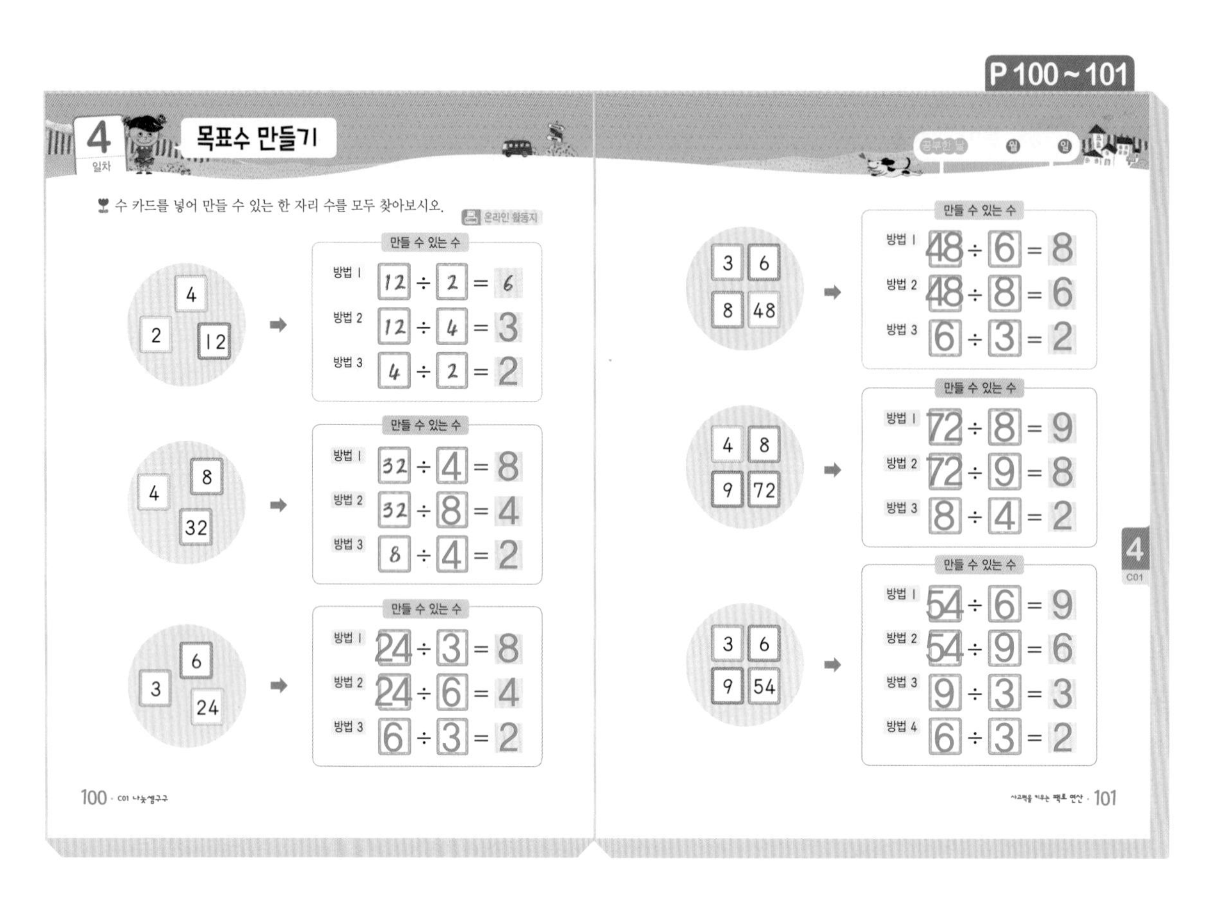

P 102 ~ 103

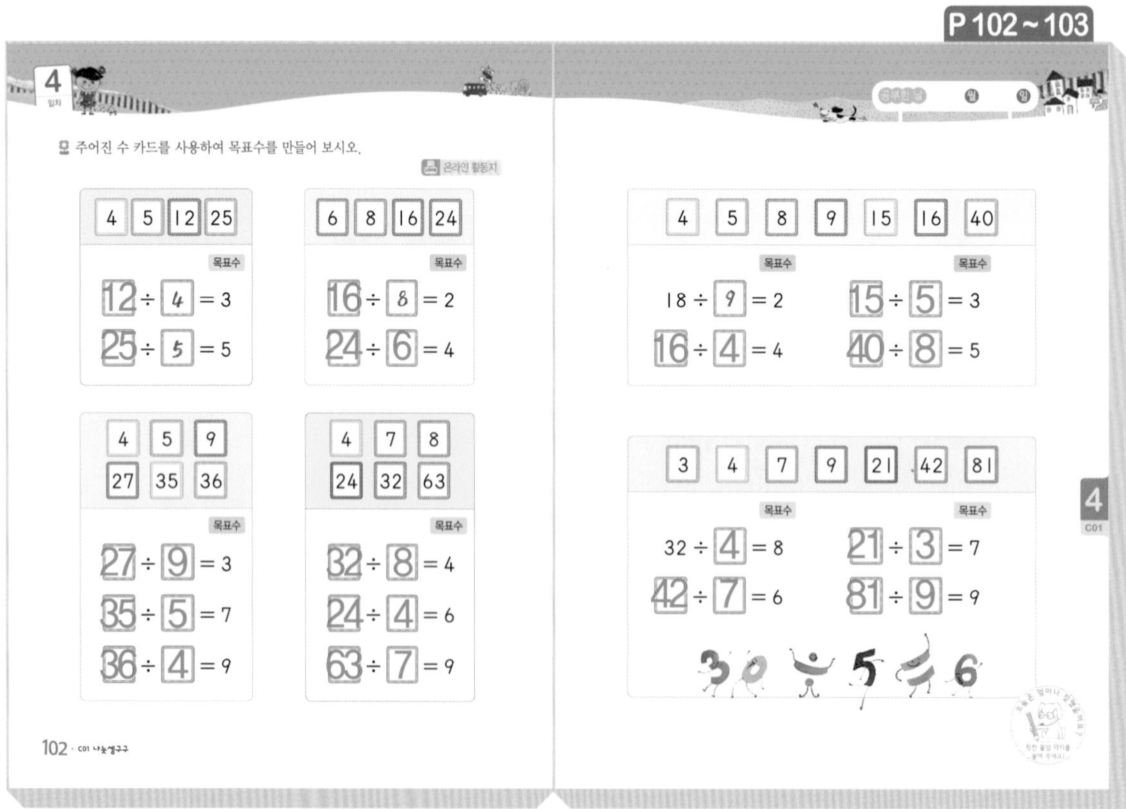

P 104 ~ 105

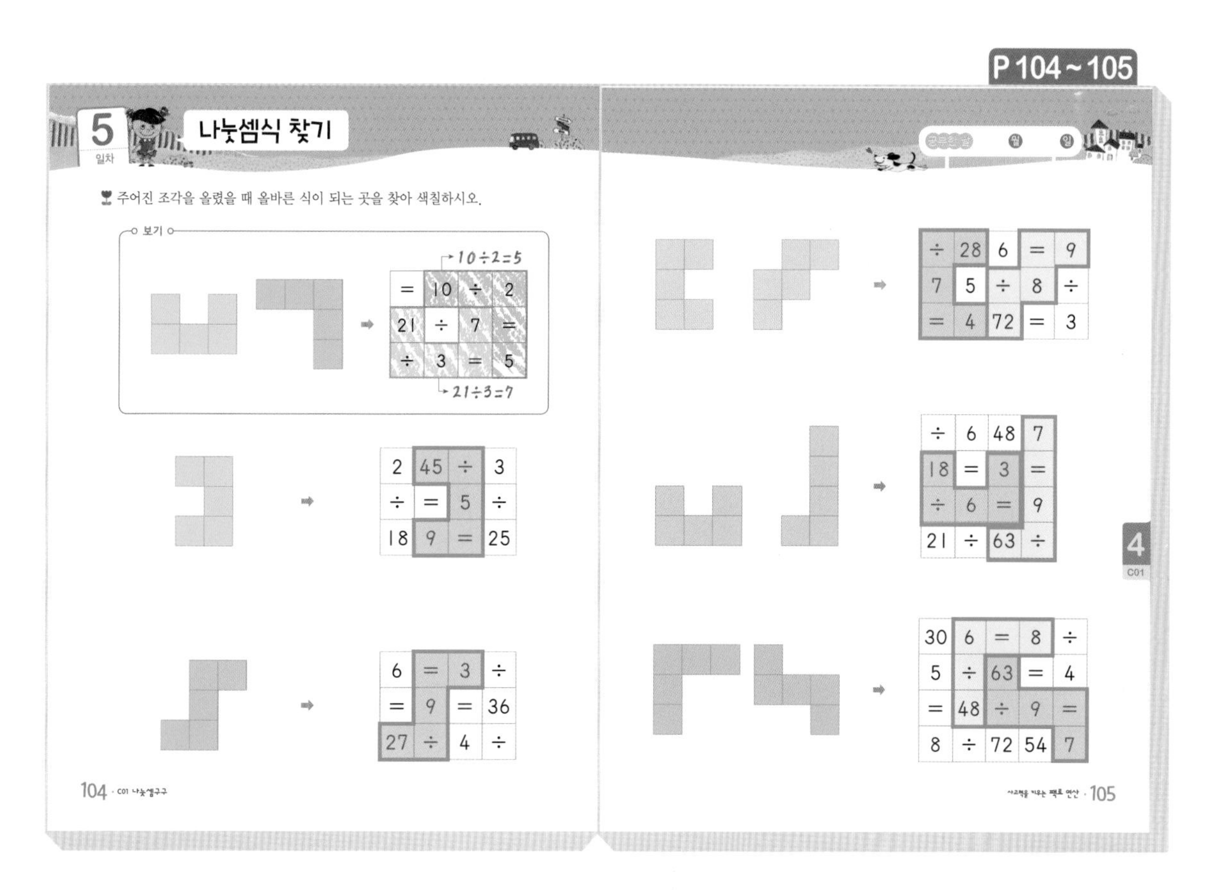
5 일차 나눗셈식 찾기

주어진 조각을 올렸을 때 올바른 식이 되는 곳을 찾아 색칠하시오.

보기

=	10	÷	2
21	÷	7	=
÷	3	=	5

10÷2=5
21÷3=7

2	45	÷	3
÷	=	5	÷
18	9	=	25

6	=	3	÷
=	9	=	36
27	÷	4	÷

÷	28	6	=	9
7	5	÷	8	÷
=	4	72	=	3

÷	6	48	7
18	=	3	=
÷	6	=	9
21	÷	63	÷

30	6	=	8	÷
5	÷	63	=	4
=	48	÷	9	=
8	÷	72	54	7

104 · C01 나눗셈구구 사고력을 키우는 팩토 연산 · 105

P 106 ~ 107

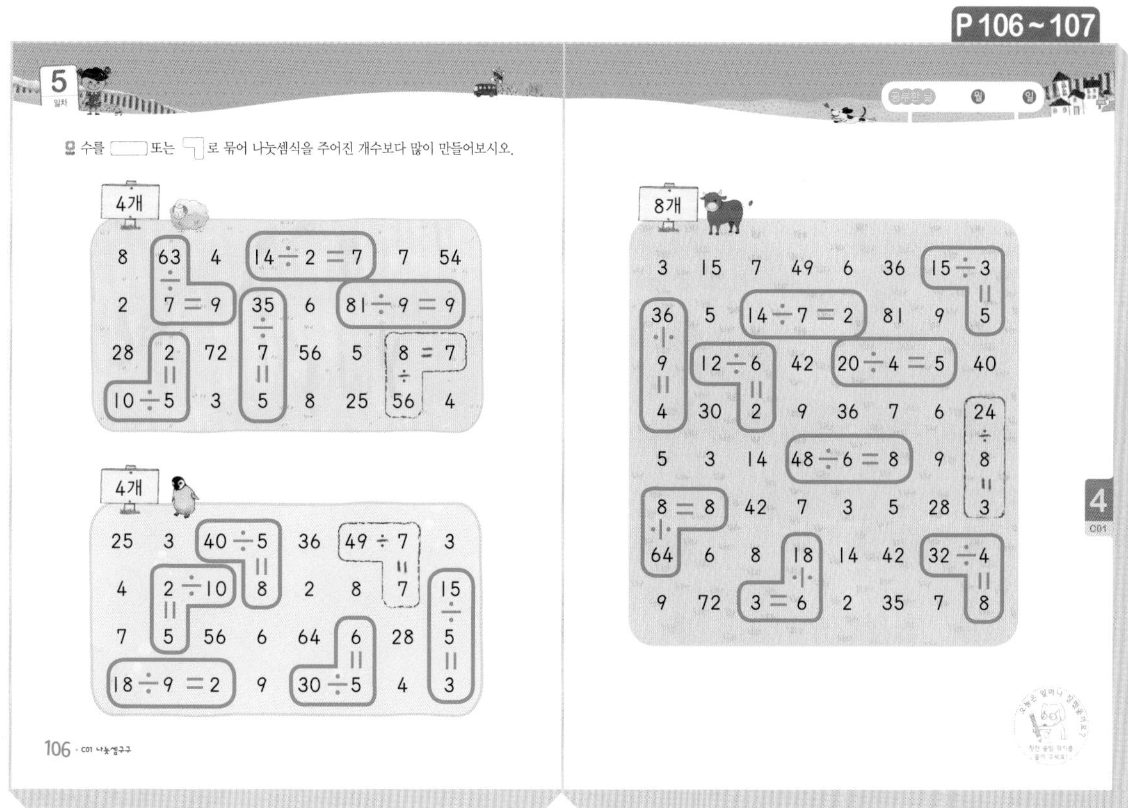
수를 [ ] 또는 [ㄱ] 로 묶어 나눗셈식을 주어진 개수보다 많이 만들어보시오.

4개

8 63 4 14÷2=7 7 54
2 7=9 35 6 81÷9=9
28 2 72 7 56 5 8=7
10÷5 3 5 8 25 56 4

4개

25 3 40÷5 36 49÷7 3
4 2÷10 8 2 8 7 15
7 5 56 6 64 6 28 5
18÷9=2 9 30÷5 4 3

8개

3 15 7 49 6 36 15÷3
36 5 14÷7=2 81 9 5
9 12÷6 42 20÷4=5 40
4 30 2 9 36 7 6 24
5 3 14 48÷6=8 9 8
8=8 42 7 3 5 28 3
64 6 8 18 14 42 32÷4
9 72 3=6 2 35 7 8

106 · C01 나눗셈구구

memo

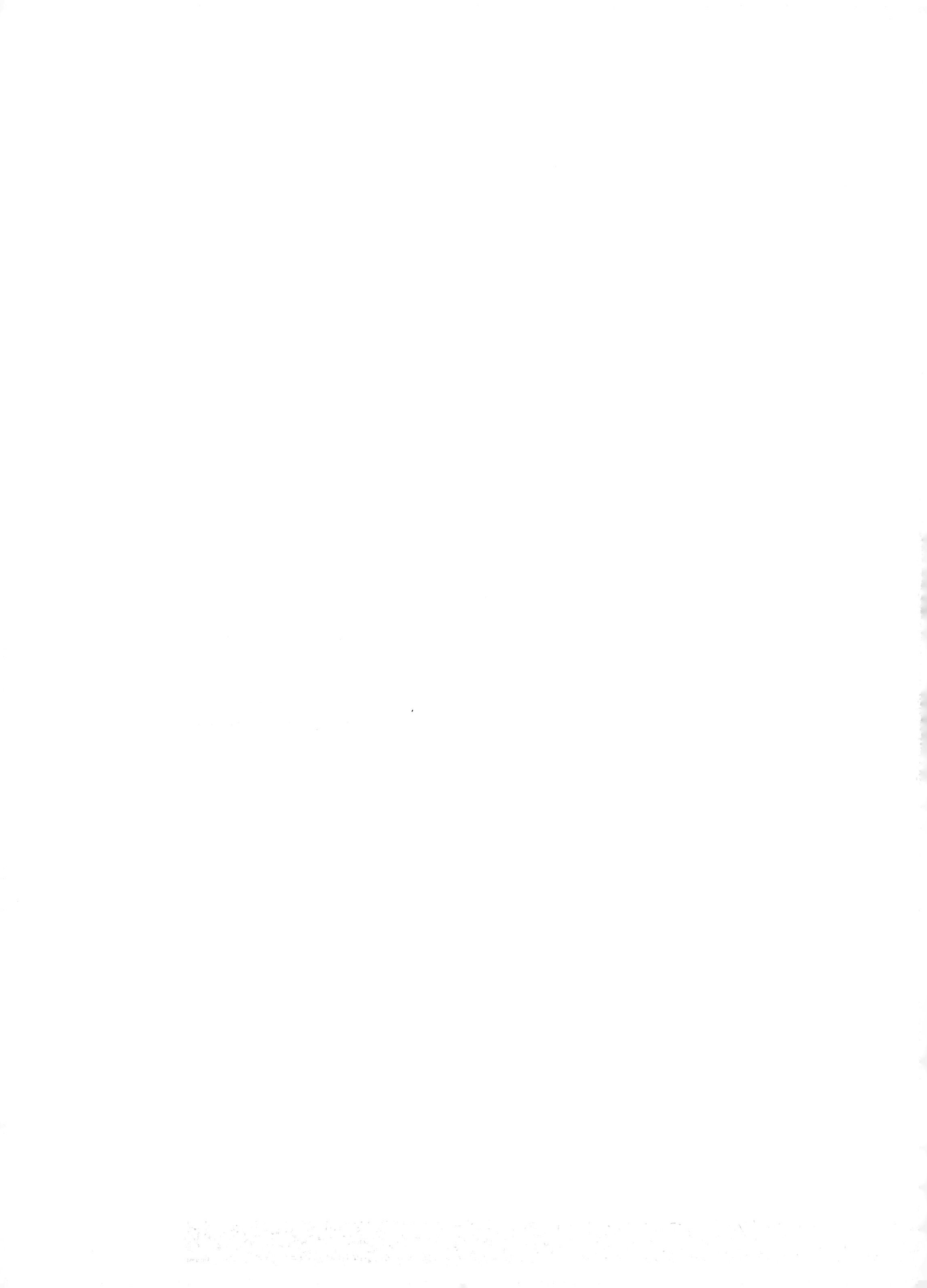

상 장

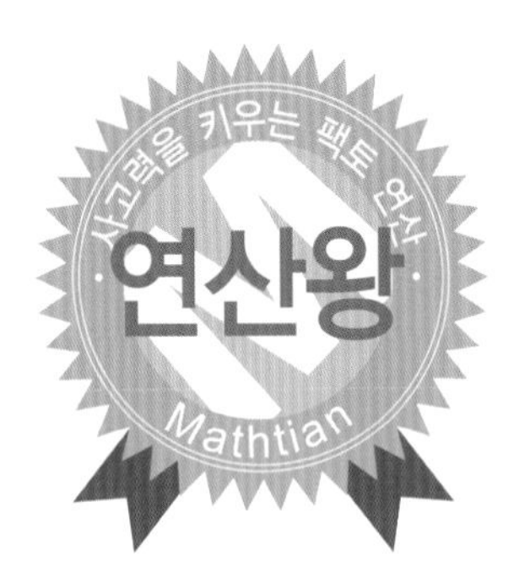

이 름 : ______________

위 어린이는 **팩토 연산 C01권을**

창의적인 생각과 노력으로 성실히

잘 풀었으므로 이 상장을 드립니다.

20 년 월 일

매스티안

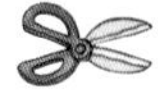

위 상장은 8"*10"(20.3*25.4cm)액자에 넣을 수 있도록 제작하였습니다.

본 책을 마친 아이들에게 위 상장을 수여하며 아낌없는 칭찬과 힘찬 박수를 보내 주세요.
아이들은 칭찬을 받으면 받을수록 수학에 대한 자신감이 더 생길 것입니다.